BE HAPPY

노르웨이 라면왕
미스터 리 이야기

Never ever
give up !!

M. Lee

BE HAPPY

노르웨이 라면왕
미스터 리 이야기

이철호·이리나 리 공저

더모던
Themodern

제 아버지 이철호 씨에 대한 이야기가 한국의 독자 여러분께 전해질 수 있어서 진심으로 영광입니다. 이 책을 쓰게 된 주된 동기는 미스터 리라는 인물의 모험담을 보존하기 위해서였습니다. 매우 특별한 그의 인생에 대한 동화가 제 아이들뿐 아니라 제 아이들의 아이들 세대에까지 전해지게 하고 싶었습니다. 그의 놀라운 인생을 써 내려가면서, 저는 그가 세상을 떠나더라도 결코 그의 이야기는 사라지지 않을 거라고 확신했습니다. 그의 지혜와 통찰은 이 책과 그가 남긴 다른 기록들을 통해 계속 살아 있게 될 것입니다.

아버지는 새로운 환경에 자신을 적응시키는 데 놀라운 재주를 지니고 있습니다. 제아무리 힘든 환경에서도 말이죠. 바로 그런 자질 덕분에 그가 언제나 자신만의 길을 개척해올 수 있었을 겁니다. 어떻게 보면, 그는 변화하는 환경에 전적으로 동화되진 않습니다. 그는 다른 모든 사람이 그의 야심이 불가능하다고 말해도 결코 굴복하거나 포기하지 않는, 자신만의 고집과 정체성을 가지고 있습니다. 다른 사람들이 그가 해낼 수 없다고 말하면, 아버지는 그들이 틀렸다는 걸 증명하려 애씁니다. 이것을 달성하는 그만의 가장 핵심적인 비결은 실패를 두려워하지 않는 것입니다. "시도하는 중에 실패하는 것은 실패가 아니야. 시도조차 해보지 않은 상태에서 포기하는 것만이 유일한 실패지."

이 소신이야말로 제 아버지가 언제나 강조하시는 철학입니다.

저는 그의 용기를 존경합니다. 제 아버지가 비록 옛날의 한국이라는 다른 환경에서 성장하셨다 할지라도, 저는 그의 이야기가 여전히 오늘날의 우리에게 많은 영감을 불러일으킨다고 믿습니다. 그의 사고방식은 시대를 초월할 뿐더러 세대 간의 격차도 메워줍니다. 결론은 몇 가지로 요약됩니다. "끝없이 긍정하라. 끝까지 포기하지 마라. 끝까지 너의 최선을 다하라." 이렇게만 한다면 인생이 얼마나 풍요로워질 수 있는지 알고 깜짝 놀라게 될 것이라고.

아버지께 진심으로 감사드립니다. 그는 제게 자신을 믿고 절대 포기하지 않는 자세를 가르쳐주신 분입니다. 이 책을 쓴 과정과 이 한국어판 출간이 증명하듯, 그가 남긴 지혜의 말은 모두 실재하는 사실입니다. "너의 모든 꿈은 이루어질 거야. 절대로 끝까지 포기하지 마!"

2011년 4월, 노르웨이 오슬로에서

이리나 리

긍정의 힘을 믿은 한 소년의 이야기

삶이란 불충분한 전제로부터 충분한 결론을 이끌어내는 기술이다.

_새뮤얼 버틀러, 영국의 소설가

'당신 아버지는 어떤 사람입니까?' 나는 이런 질문을 상당히 자주 받는 편이다. 그런데 이와 비슷한 질문을 받을 때마다 어떻게 대답해야 좋을지, 조금은 당황스럽기까지 하다.

내 아버지는 미스터 리Mr. Lee, '노르웨이 라면왕'으로 알려져 있다. 하지만 아버지의 삶이 처음부터 여기, 노르웨이에서 시작된 것은 아니다. 그는 1937년 한국의 작은 시골 마을에서 태어났다. 유년기를 한국에서 보냈으며, 이 시기에 한국전쟁을 직접 겪기도 했다. 특유의 긍정적인 마인드, 용기, 그리고 주변 사람들의 도움으로 그는 전쟁을 비교적 쉽게 이겨낼 수 있었다. 아버지만큼 전쟁 속 행운을 맛본 사람은 별로 없을 것이다. 전쟁은 아버지 삶의 전환점이나 다름없었다. 한국전쟁 당시 목숨을 잃었던 수많은 사람들 속에서, 아버지는 목숨을 건지는 대신 꽤 큰 부상을 당했다. 그러나 주변의 우려와 달리, 열일곱 살이 되던 해에 머나먼 타국 땅 노르웨이에서 치료받을 수 있었다. 이런 계기가 없었다면 그는 어쩌면 목숨을 잃었을지도 모른다. 당시 노르웨이에서 시작된 새로운 생활은 지금의 아버지 삶을 이루는 바탕이 되었다.

1954년 4월, 아버지는 노르웨이에 난생처음 발을 들여놓자마자 본의 아니게 유명 인사가 되었다. 당시 노르웨이에 살고 있는 한국인은 없었기 때문이다. 한국인뿐만 아니라 동양인 자체를 만나기가 쉽지 않았다. 덕분에 아버지의 이야기는 연일 신문을 장식했고, 사람들은 그를 호기심 어린 눈빛으로 바라보곤 했다. 어떻게 보면 그런 관심은 피할 수 없는 일이었다. 그러나 그러한 관심도 시간이 지나면서 차츰 사그라지기 시작했다.

아버지가 다시 미디어의 관심을 받기 시작한 것은 1970년대 초반, 레스토랑 비카Vika의 카페 묄하우센Café Møllhausen이 유명해지면서부터였다. 그러다가 1990년대 접어들어 한국식 라면을 노르웨이에 들여오면서 아버지는 진정한 국민적 유명 인사가 되었다. 현재 광고로 만날 수 있는 '미스터 리' 라면은 바로 그때 탄생한 것이다. 광고 속 미스터 리의 이미지는 간단한 캐릭터에 지나지 않지만, 항상 온화하고 유머로 가득한 아버지를 표현하는 데는 부족함이 없다. 그렇다 하더라도 그러한 이미지는 아주 단편적인 이미지에 불과할 뿐, 아버지 그 자체를 드러내기엔 역부족이다.

그렇다면 처음의 질문으로 되돌아갈 수밖에 없다.

'당신 아버지는 어떤 사람입니까?'

물론 몇 마디 문장으로 설명하기는 쉽지 않다. 그도 그럴 것이, 아버지는 보통 사람들과는 상당히 다른 면모를 지녔기 때문이다. 아버지는 노르웨이인도, 한국인도 아니다. 고집이 센 것도, 그렇다고 유순한 것도 아니며, 돈을 펑펑 쓰지는 않지만 반대로 구두쇠도 아니다. 엄격하고 냉담한 사람도 아니며, 그렇다고 사랑이 넘쳐나는 사람도 아니다. '이런 사람이구나.' 하고 판단을 내리려고 할 즈음 이내 다른 면모를 보여 편견을 뒤집어버리는 그런 사람이 바로 내 아버지다.

사실 나는 다른 집의 가장이나 아버지에 대해 전혀 알지 못한다. 이 세상의 아버지들이 각자 어떤 교육방침을 가지고 자녀들을 길러내는지 알 길이 없는 것이다. 내가 알고 있는 아버지는 단 한 사람, 나의 아버지뿐이기 때문이다. 내가 가장 잘 알고 있으며, 끝없이 사랑하고 자랑스러워하는 아버지는 미스터 리, 단 한 분이다. 이 책은 그런 아버지의 모습을 온전히 그려내기 위한 내 개인적인 의도에서 출발했다. 하지만 글을 써 내려가면서 조금 다른 차원의 동기가 원동력이 돼주었다. 언젠가는 사라질지도 모르는 한 사람의 삶과 역사를 보존하는 것, 그리고 내가 미처 알지 못했던 아버지의 모습을 새로이 발견하는 것도 중요했지만, 무엇보다 아버지가 살아온 삶에서 얻어낼 수 있는 메시지를 많은 사람에게 들려주는 게 우선이었다. 아버지의 이야기는 지금을 살아가는 많은 사람에게 힘과 용기가 될 것임을 믿었기 때문이다.

고등학교 시절부터 나는 이미 아버지의 삶을 글로 옮겨야겠다고 결심했다. 솔직히 말해서 나 말고는 아버지의 삶을 기록할 만한 사람이 없다고 생각했다. 이런 생각은 당시, 기자가 되겠다고 다짐했을 때부터 내 머릿속을 떠나지 않았다. 그리고 실제 기자가 되고 난 지금, 그 시절의 다짐을 실행에 옮기게 되었고, 나는 기자답게 기록의 진실성과 검증의 유효성에 큰 비중을 두고 글을 써 내려갔다. 이 작업을 통해 있는 그대로 사실을 전달하고 싶었다. 아무도 부인할 수 없는, 정확하고 신뢰성 있는 이야기를 담고 싶었다.

그렇게 하기 위해 나는 기자 특유의 조직적이고 까다로운 방식의 취재를 감행했다. 기록의 바탕이 될 수 있는 근거를 찾기 위해 수많은 책을 읽었으며, 아버지의 옛 편지와 신문 기사를 읽었다. 인터넷 백과사전을 뒤지기도 했고, 수십 년 전의 방송 프로그램을 다시 구해서 보기도 했다. 오랜 시간 아버지를 인터뷰한 것은 물론이고, 인터뷰 내용 하나하나를 녹음하고 노트에 기록했다. 그리고 2009년 9월, 아버지와 함께 한국에 방문해 그의 고향 땅을 내 눈으로 직접 보았고, 아직 살아 있는 아버지의 가족들을 만나 이야기도 나누었다. 이 여행을 통해 아버지 삶에 큰 영향을 미쳤던, 의미 있는 다른 분들과도 인터뷰할 수 있었다.

이렇듯 기자의 입장에서 취재에 최선을 다하면서도 한편으로는 기자정신을 버리기도 해야 했다. 이 책은 단순히 아버지에 관한 취재 노트가 아니다. 한 사람의 단편적인 일화들을 나열한 책도 아니다. 이는 아버지가 항상 입버릇처럼 말씀하시던 바로 그 '역사'를 담고 있다. 아버지의 삶에 의미를 부여했던 이야기들과 나의 성장기를 채워왔던 이야기들을 그물처럼 엮어낸 결과물이다.

언젠가 나는 아버지에게 책에 담지 말았으면 하는 이야기가 있는지를 물었다. 아버지는 단 하나의 일화만 제외해달라고 말했고 나는 생각해보겠다고 답했다. 그리고 그 생각을 미처 다 하기도 전에 아버지로부터 한 통의 전화를 받았다.

"오늘 우리가 의논했던 그 얘기 말인데, 네가 쓰고 싶은 대로 쓰렴. 엄밀히 말하면 그건 너의 기록이기도 하니까 결정권은 너한테 있는 게 맞는 것 같다."

이런 이야기가 오간 후, 아버지가 한 이야기를 기록하는 일은 전적으로 내 몫이 되었다. 어떤 이야기를 담고 또 어떤 이야기를 덜어내야 하는지, 혹은 아버지의 기억에 정확하지 않은 것은 없는지 모두 나 혼자 판단해야 했다.

이 책은 한국전쟁으로 가족과 헤어져 노르웨이라는 나라까지 오게 된 한 소년의 이야기를 다루고 있다. 그 소년은 머나먼 타국 땅에서 수많은 시련과 좌절을 거듭했고, 그런 끝에 마침내 모두가 인정할 만한 '성공'을 이루어냈다.

꿈을 간직한 사람, 그리고 그 꿈을 향해 끝없이 도전하는 사람에게 불가능한 일이란 없다는 것, 그리고 긍정의 힘을 믿는 게 무엇보다 중요하다는 것을 나는 소년을 통해 알 수 있었다. 우리에게 많은 것을 일깨워준 그 소년이 바로 내 아버지 미스터 리다.

2010년 6월, 노르웨이 오슬로에서

이리나 리

동양인 소년, 노르웨이에 닿다

우리들 내부에는 우리가 결코 가본 적 없는 장소들이 존재한다.
오직 한계를 밀어붙임으로써, 우리는 그곳들을 찾을 수 있다.

_조이스 브러더스, 미국의 심리학 박사 겸 칼럼니스트

'옛날에…. 아버지는 항상 이렇게 이야기를 시작한다. 그가 이야기의 서두를 꺼내는 방식은 예나 지금이나 변한 게 없다. 자동차 여행 중 눈에 익은 풍경을 보며 문득 떠오르는 기억을 끄집어내서 이야기할 때. 또는 가족들이 함께하는 주말의 저녁식사 시간에 뜬금없이 옛일을 추억할 때도 마찬가지다. 아버지의 이야기는 때와 장소를 가리지 않는다. 그 옛날의 일들을 어찌나 소소하게 기억하는지, 그날 만났던 사람과의 작은 일화, 그때의 감정까지 모두 기억해내 이야기에 담곤 한다. 아버지의 일화는 시간과 장소를 불문하고 여기저기서 들을 수 있다. 아버지의 머릿속엔 무수히 많은 이야기가 담겨 있는 듯하다.

내가 어렸을 때 아버지는, 한국에서 보냈던 유년 시절 이야기를 자주 해주었다. 엄격한 아버지에게 혼쭐이 났던 기억, 그리고 온화한 어머니가 보듬어주셨던 이야기, 형제들과 동네 이곳저곳을 돌아다니며 함께 어울렸던 일 등 행복한 일상에 관한 것이 대부분이었다. 그러다가 가끔은 한국전쟁에 대한 이야기를 들려줄 때도 있었는데, 그럴 때면 전쟁 중에도 기억에 남을 만한 아름다운 추억, 훈훈한 일화들이 이야기의 주를 이루었다.

성인이 된 후에 나는 한국전쟁 당시의 모습이 담긴 사진을 직접 접할 수 있었다. 그 사진들을 통해 본 한국전쟁은 일반적인 전쟁과 다르지 않았다. 전쟁은 그 누구에게도 결코 즐거운 기억으로 남아 있을 수 없다. 참혹하고 무자비한 흔적으로 땅은 황폐해지고, 세상에는 죽음과 고통, 두려움만이 가득한 듯 보였다.

작은 아이를 등에 업고 거대한 탱크 앞에 서 있는 한 소녀의 모습, 참혹하게 뒤틀린 시체가 가득한 공동묘지의 모습, 이미 죽은 듯 길바닥에 쓰러져 있는 젊은 여인과 그 곁에 울고 있는 두 어린아이의 모습 등 당시 본 사진 중 몇 장은 아직도 내 기억에 그림처럼 선명하게 남아 있다.

한국전쟁이 발발했을 당시 아버지는 열세 살에 불과했다. 전쟁은, 그 당시 아버지가 경험한 모든 것 가운데 가장 참혹한 일이 아니었을까? 하지만 아버지가 해주는 당시 이야기들 속에 전쟁의 비참함이라고는 찾아볼 수가 없다. 오히려 그 속에서 발휘할 수 있었던 기지와, 어려운 가운데 마음에 품었던 희망이 주를 이룬다. 예를 들면, 아버지가 죽음을 경험했던 그날의 이야기 같은 경우다. 아버지의 맥박은 멈추었고, 사람들은 하나같이 아버지가 죽었다고 생각했다. 고관절(골반과 대퇴골을 잇는 가장 중요한 관절_편집자 주)에 심각한 부상을 입고 쓰러진 아버지는 막사의 임시병원으로 옮겨졌다. 드라마는 그곳에서 시작되었다.

그곳은 매시M.A.S.H(한국전쟁 당시 야전병원에서 벌어진 군인들의 애환을 그렸던 블랙 코미디물_편집자 주)에서 볼 수 있는 야전병원처럼 그럴듯한 것이 아니라 텐트 한 장으로 이루어져 초라하기 짝이 없었다.

"이미 숨이 멎었군."

의사는 차가운 수술대 위에 누워 있는 열여섯 살의 동양인 소년을 포기해버렸다. 소년이 그곳, 노르웨이 막사의 임시 군사병원에서 생을 마감하게 되리라는 것은 어느 누가 봐도 자명한 사실이었다. 소년의 고향인 천안에서 불과 몇 시간밖에 걸리지 않는 곳이었다.

침대 위의 소년은 손 하나 까딱하지 않았다. 고통을 멈추기 위해 투입했던 아편은 그저 소년이 편안하게 잠드는 데 도움이 됐을 뿐이었다. 하지만 죽은 줄 알았던 소년은 자신을 바라보고 있는 사람들의 대화부터 저 멀리서 들려오는 굉음까지 모두 듣고 있었다. 끝없는 잠에 빠지는 것 같기도 하고 눈꺼풀 뒤에서 빛이 번쩍이며 정신을 혼란하게 만드는 것 같기도 했다. 그러다 이내 부드러운 천 조각이 얼굴을 덮고 있음을 느꼈다.

'이제 정말 죽는 건가. 끝이란 말인가. 아니 어쩌면 나는 이미 죽어 있는지도 몰라.'

소년은 아무런 고통도 없이, 그저 따뜻함과 포근함만 느낄 뿐이었다. 마치 온몸이 허공으로 붕 떠서 하늘을 나는 기분이었다. 그 와중에도 지금 자신이 어떤 상태인지 알 수 없어 머릿속에 스치는 여러 가지 생각들은 도무지 정리가 되지 않았다.

담당 의사는 소년을 들것에 실어 바로 옆 천막에 뉘었다. 소년은 곧 다른 곳으로 옮겨질 예정이었다. 그에게는 다시 돌아오지 못할 저세상으로 여행하기 전, 이승에서의 마지막 장소나 다름없었다. 그의 몸은 곧 흙 속에 묻힐 것이었다. 그러나 그는 온몸을 짓눌러오는 차가운 어둠을 전혀 느낄 수 없었다. 그는 이미 깊은 수면에 빠졌다.

해 질 무렵 일과를 마친 젊은 간호사는 숙소로 돌아가기 전에 담배 한 대를 피울 요량으로 천막 밖으로 나갔다. 그때 등 뒤에 있던 천막 안에서 쉰 목소리가 들려왔다.

"도와주세요… 아무도 없나요… 누가 좀 도와주세요…."

그 목소리를 들은 간호사는 너무 놀라 들고 있던 담배를 땅에 떨어뜨렸다. 한참 제자리에 서 있던 그녀는 겨우 정신을 차리고 천막 안으로 들어섰다. 구석구석에서 불결하고 역겨운 냄새가 코를 찔렀다. 희미한 백열등 아래 축 늘어진 소년의 팔이 보였다. 조심스럽게 담요를 들어 올리자 두 개의 검은 눈동자가 반짝하고 빛났다. 나이 어린 한국 소년이 눈을 뜬 것이다.

끊어질 듯 간당간당한 호흡에 의지하고 있던 소년의 눈에는 아무것도 보이지 않았다. 죽음의 냄새가 그의 주변을 에워싸고 있었고, 자신이 누군가에게 미약하게나마 도움을 청하고 있다는 사실마저 낯설게 느껴졌다.

"아치!"

간호사는 깜짝 놀라 소년의 이름을 외쳤다.

"아치, 살아 있었구나! 네가 살아 있었다니…."

그녀는 얼른 담요를 걷어내고 소년을 안아 올렸다. 살아 있는 사람이라고는 믿기지 않을 정도로 소년의 몸은 얼음장처럼 차가웠다. 그에게는 몸을 떨 기력조차 남아 있지 않았지만 생을 마감할 운명은 아니었던 것 같다. 적어도 그날 그곳에서는 말이다.

그렇게 아버지의 이야기는 끝을 맺었다. 사실 이 이야기는 꽤 여러 번 들었던 것 같다. 그리고 그때마다 항상 새로운 정보들이 하나씩 추가되었다. 예를 들면, 막사에 누워 죽음을 느꼈을 때 어떤 이야기가 들렸는지, 아버지가 눈을 떴을 때 천막 안에서는 어떤 냄새가 났는지, 아버지의 신음을 들은 간호사가 얼마나 아름다웠는지 하는 것들이었다.

아버지의 이야기에 어떤 새로운 정보들이 추가되더라도 늘 변함없이 강조되는 한 가지는 아버지가 죽음을 온몸으로 느꼈다는 사실이다.

"난 그때 죽는다는 게 어떤 건지 경험했단다. 소위 말하는 사후세계를 체험한 것 같았어."

다른 사람도 아닌 바로 내 아버지가 삶과 죽음의 경계 한복판에서 몇 시간이나 서 있었다는 것을 생각하면 지금도 온몸에 소름이 돋는다. 만약 그때 누군가가 아버지를 발견하지 않았더라면 어떻게 되었을까. "그랬다면 어떤 일이 벌어졌을까요?" "글쎄… 그때 아무도 나를 발견하지 못했더라면 오늘 이렇게 너와 함께 앉아 있을 수도 없겠지. 당연히 너도 태어나지 못했을 거고…."

PART 2

노르웨이에서 터를 닦기까지

새로운 사업의 준비 단계

PART
4

라면왕, 미스터 리

오른쪽 사진 **2011년 3월 서울에서**

PART 1
철호에서 아치까지

거꾸로 달렸던 어린 시절

전쟁 속 생존 투쟁

목숨을 건 질주

미군과 함께한 병영생활

노르웨이로의 험난한 여정

Never ever
give up !!

M. Lee

거꾸로 달렸던 어린시절

인생의 비밀 중 하나는
걸림돌로부터 디딤돌이 만들어진다는 것이다.

― 잭 펜, 남아공의 의사 겸 작가

지금 생각해 보면 그때부터 나는 인생이라는 길을 거꾸로 걷기 시작했던 것 같다. 전쟁터를 거꾸로 거슬러 올라가며 장사를 하려 덤볐던 것도 그렇고, 비즈니스도 실속보다는 인간관계를 먼저 챙기려는 태도를 보였으니, 인생을 지름길로 달려가는 사람들이 보기엔 '거꾸로 가는 인생'처럼 보였을지도 모르겠다. 하지만 내 소신을 따라 행동하는 길이 길게 보면 지름길이었다.

◖◗ 이씨 집안 둘째 아들

소년의 아버지는 언제나처럼 마당 쓸기로 하루를 시작했다. 으레

하는 느릿하고 단조로운 비질로 담벼락 아래와 마당에 쌓인 먼지를 쓸어냈다. 대문께에 잠시 멈춰 선 그는 손수건을 꺼내 이마에 흐르는 땀을 닦았다. 그는 자주 그곳에 서서 자갈길 건너에 있는 논이 바람에 넘실대는 모습을 바라보곤 했다.

그는 14년간 여섯 명의 자식을 볼 수 있었다. 첫째는 총명하고 예쁜 여자아이였다. 그러나 그는 애초에 아들을 원했기에 그다지 달가워하지 않았다.

"완전무결한 영혼은 이승에 다시 태어날 때 사내아이의 모습으로 난다고 들었소."

그가 아내에게 늘 입버릇처럼 하는 이야기였다. 그가 이런 이야기를 할 때면 그의 아내는 항상 아무런 대꾸도 하지 않은 채 그저 묵묵히 듣고만 있었다.

세월이 흘러 둘째를 얻게 되었다. 이번엔 그토록 원하던 아들이었다. 그 이후 셋째부터 막내까지 모두 아들이었다. 무려 다섯 명이나 되는 아들을 차례로 보게 된 것이었다.

"이제 이씨 집안 미래는 탄탄대로요!"

그는 가문의 이름과 역사를 이어 나가기 위해 여섯 명의 자녀를 출산해 낸 아내가 더없이 자랑스러웠다. 아이들이 커갈수록 이런저런 근심이 생길 때도 많았지만, 그는 자기가 자라온 모습대로 아이들을 가르쳤다. 항상 어른을 공경하며, 다른 사람에게 도움을 주는 사람이 되라는 것이었다. 그리고 여섯 아이 모두 그런 아버지의 가르침을 어기는 법이 없었다.

🌑 가출의 추억

철호는 여섯 남매 중 셋째로 태어났다. 그는 방과 후에 집으로 돌아오자마자 항상 지체하지 않고 교과서를 꺼내 들어 그날 배운 것들을 복습했다. 철호의 아버지는 공부에 열성을 보이는 셋째를 어찌하면 좋을지 몰랐다. 공부를 마음껏 가르칠 수 있는 형편도 아니었지만, 그보다도 어린 시절에만 경험할 수 있는 것들을 만끽하며 아이답게 자라기를 바랐던 것이었다.

"오늘도 책만 들여다볼 거냐? 밖에 나가서 좀 놀아라. 공부는 수업 시간에 하는 것만으로도 충분해. 나머지 시간은 하고 싶은 일을 하며 지내도 된다."

아버지는 상냥하지만, 단호한 어조로 철호에게 이야기했다. 철호가 그 말을 듣고 자리에서 일어나 막 밖으로 나가려 할 때 아버지는 아들을 향해 이야기했다.

"수업 시간에만 집중해라. 그것만 제대로 하면 따로 공부하지 않아도 성적이 떨어질 일은 없다. 그러니 지금은 밖에 나가서 다른 아이들과 어울려 놀아라."

아버지와 달리 철호의 어머니는 성실하고 인내심이 강했다. 그런데 그런 어머니도 언젠가 한 번 철호에게 크게 화를 낸 일이 있었다.

방과 후 여느 날처럼 귀가하는 중이었다. 그때 한 친구가 담장 위에 올라가 중심 잡기를 하자고 제안했다. 그 말에 철호는 발 하나 딛기도 좁은 폭의 담장에 주저 없이 올라갔다. 중심을 잡으려 애를 썼지만, 아니나 다를까 2미터가 넘는 높이의 담장에서 철호는 그만 떨어지고 말았다. 살갗이 찢어지고 피가 흘렀다.

'혼날 게 뻔한데 어쩌면 좋지?'

친구들은 담장에서 떨어진 철호에게 달려와 괜찮은지 연신 물었지만, 철호의 머릿속에는 어머니에게 혼날 걱정뿐이었다. 절뚝거리며 도착하니 대문 앞에 어머니가 기다리고 서 있었다.

"도대체 어디서 뭘 하다 이 꼴이 돼서 들어오니? 바지도 다 찢어지고. 철딱서니 없는 것 같으니! 너희들 먹이고 입히느라 우리가 얼마나 고생하는지 알기나 해?"

아버지는 아무 말도 하지 않고 묵묵히 그 모습을 지켜보았다. 평소 철호가 마음껏 뛰어놀며 자라기를 바랐던 아버지는 철호를 야단칠 마음이 전혀 없었다. 남편이 한마디라도 거들어 주길 바랐던 어머니는 더 이상 참지 못하고 아버지에게 소리를 쳤다.

"당신 정말 가만있을 생각이에요? 뭐라고 말이라도 좀 해봐요!"

하지만 그는 여전히 묵묵부답이었다. 그러자 어머니는 더 이상 참지 못하고 철호의 뺨을 힘껏 내리쳤다. 철호는 이렇게 불같이 화를 내는 어머니의 모습을 처음 봤다. 너무 당황해 어머니를 쳐다볼 용기조차 나지 않았다.

철호는 그길로 집을 뛰쳐나가 동네 뒷산에 몸을 숨겼다. 얼얼한 뺨 위에 눈물이 흘러내렸다. 아무에게도 그런 모습을 보이고 싶지 않아 아주 도망을 쳐버리고 싶은 심정이었다.

'집을 나가 영영 돌아오지 않으면 가족들은 뭐라고 할까? 내가 집을

나가면 꼴 보기 싫은 아이가 사라졌다고 오히려 좋아하지 않을까?'

오만 가지 생각이 머리를 스쳐 가는 동안 사방에는 어둠이 깔렸다. 철호는 배도 고프고 피곤하기도 했다. 그때 어디선가 귀에 익은 목소리가 들려왔다. 온 가족이 철호를 찾아 뒷산으로 올라온 듯했다. 누나의 목소리도 들렸고, 철호를 봤냐는 아버지의 물음에 뭐라 대답하는 형의 목소리도 들렸다. 아래쪽 자갈길에서는 동생들이 이리저리 뛰어다니며 철호의 이름을 외치고 있었다.

"당신이 무슨 짓을 했는지 알겠소? 당신 때문에 아들이 집을 나갔소. 이제 만족하오? 철호가 영영 돌아오지 않으면 어쩔 작정이오?"

아버지의 호통에 어머니는 대답 없이 흐느끼기만 했다. 다시 철호를 부르는 아버지의 목소리가 들렸다. 철호는 아버지의 호통과 어머니의 흐느낌 속에 담긴 후회를 느낄 수 있었다. 그리고 자신이 버림받지 않았다는 생각에 어쩐지 행복해졌다. 그러나 여전히 앉은 자리에서 꼼짝도 하지 않았다.

뒷산에서 거의 하루를 꼬박 보낸 철호는 그날 밤 슬그머니 집으로 돌아갔다. 어머니는 아들을 꼭 끌어안고 후회와 기쁨의 눈물을 흘렸다. 그날 이후, 어머니는 단 한 번도 아들에게 큰소리를 내지 않았다.

●● 밤에 두 발 뻗고 자려면

늦가을 공기는 어느새 차갑고 으스스한 초겨울 공기를 닮아가고 있었다. 철호는 대나무 돗자리 위에 딱딱한 베개를 베고 누워 이리 뒤척저리 뒤척 하다가 슬슬 잠에 빠져들었다. 꿈속에서 철호는 새들이 지저귀는 소리를 들으며 학교를 향해 가는 중이었다. 때는 여름인 듯 울창한 숲이 눈앞에 펼쳐졌다. 그런데 갑자기 오줌이 마려워 오는 것이 아닌가. 철호는 학교에 도착할 때까지 참으려 했지만, 학교까지는 갈 길이 너무 멀었다. 결국 길가 뒤쪽의 울창한 숲속으로 들어가 볼일을 보았다. 그때 근처에 놓여 있는 지갑이 철호의 눈에 띄었다. 그는 얼른 바지를 추켜올리고 지갑 쪽으로 걸어 나갔다. 돈이 두둑이 들어 있는 지갑이었다. 순간 잠에서 깨고 보니 이불이 흠뻑 젖어 있었다. 꿈에서 볼일을 본다는 것이 그만 실제로 이불에 실례를 한 것이었다. 철호는 어머니를 깨웠다.

"철호야! 네가 한두 살 먹은 어린애도 아니고, 잠자리에서 오줌을 누는 게 말이나 된다고 생각하니?"

어머니는 잠에 취해 체념 섞인 소리로 꾸중했다.

"그런데 어머니, 꿈에서 돈이 잔뜩 들어 있는 지갑을 발견했어요. 지폐가 가득 들어 있었다고요! 그게 어디 있는지 아직도 생생하게 기억나요."

이불을 걷어내던 어머니는 철호에게 조용히 하라는 듯 손가락을 입에 가져다 댔다.

"조용히 하고 잠이나 자라. 꿈에서 돈지갑을 발견했다니 그런 개꿈은 얼른 잊어버리는 게 상책이다. 알았니?"

다음 날 아침, 철호는 날이 밝자마자 꿈에서 봤던 그곳으로 달음질

쳤다. 숲은 꿈에서처럼 울창하고 푸르지 않았지만, 철호는 그곳을 정확히 짚어낼 수 있었다. 그 근처를 이리저리 살펴보니 아니나 다를까, 돈이 두둑이 들어 있는 지갑이 땅에 떨어져 있었다. 너무 신기했다. 철호는 얼른 지갑을 손에 들고, 있는 힘을 다해 집으로 뛰었다. 대문 앞에 서 있던 아버지를 마주쳤을 때, 철호는 너무도 숨이 차서 제대로 말을 할 수 없을 정도였다. 그때 아버지가 철호의 손에 있던 지갑을 낚아채듯 빼앗아 들었다.

"너 이 돈 어디서 났니?"

철호는 지난밤 꿈에 대해 먼저 이야기하고, 실제로 그곳에 가보니 지갑이 있었다고 의기양양하게 말했다. 하지만 아버지는 믿을 수 없다는 듯 눈을 가늘게 뜨고 철호를 쏘아본 뒤, 뺨을 힘껏 내리쳤다.

"바른대로 말해라! 이 돈 어디서 훔쳤어! 더 늦기 전에 당장 주인에게 돌려줘라. 알았니?"

철호는 억울함에 눈물이 나왔다.

"정말 거짓말이 아니에요. 제가 꿈을 꾸고서 찾아낸 지갑이란 말이에요. 훔친 게 아니라고요!"

아버지는 말없이 철호를 바라보다가 침착하게 이야기했다.

"네 말이 정말 사실이라면 내가 지금부터 하는 말을 잘 들어라. 이 지갑을 도로 들고 가서 원래 있던 자리에 다시 갖다 놓아라. 누군가 잃어버린 물건이 분명하고, 어쩌면 근처에서 찾고 있을지도 모르는 일이다. 이 정도의 큰돈을 잃었다면 아마 전전긍긍하고 있을 것이다."

철호는 말없이 고개를 숙였다. 아버지의 말이 맞는 것 같았다.

"잃어버린 것은 반드시 주인에게 돌려줘야 한다. 앞으로는 무엇을 발견하든 네 것이 아닌 것은 탐하지 말고, 반드시 주인을 찾아 돌려주어라. 알아듣겠니?"

"예, 아버지."

철호는 왔던 길을 되돌아갔다. 그는 돈지갑을 만지작거리며 아쉬워서 어쩔 줄을 몰랐다. 이 돈으로 살 수 있는 물건들, 할 수 있는 일들을 떠올리니 지갑을 제자리에 두기가 쉽지 않았다. 하지만 아버지의 말을 어기고 싶지 않아 원래 있던 자리에 지갑을 내려놓았다.

다음 날 아침, 등굣길에 그 자리를 살펴보았다. 지갑은 여전히 그대로 놓여 있었다. 지갑이 그 자리에 그대로 있는지 한동안은 매일 확인했다. 심지어 휴일에도 일부러 그 길을 다녀가곤 했다. 지갑은 내내 그 자리에 있었다. 보름쯤 지났을까. 마침내 지갑이 자취를 감추었다. 철호는 그제야 마음이 놓였다. 그날 밤 그는 오랜만에 달고 깊은 잠을 잘 수 있었다.

'밤에 발 뻗고 자려면, 거짓말을 해서는 안 된다'고 하셨던 아버지 말씀이 지금도 생생하다. 비즈니스도 투명하고 정직해야 한다. 자기가 가진 것을 거짓으로 과대하게 포장하게 되면 당장은 상대를 현혹해 물건을 팔 수 있을지 모른다. 하지만 그다음부터 두 번 다시는 그 사람에게 물건을 팔 수 없게 될 뿐더러, 그가 주변에 나쁜 소문을 퍼뜨려 앞으로는 그 상품을 어디서도 팔 수 없게 될지도 모른다.

◍ 날아간 합격

일제 치하에서 자유를 되찾은 지 불과 5년 만에 전쟁이 발발했다. 이번에는 다른 나라의 침략이 아닌, 피를 나눈 동족 간의 전쟁이었다. 사람들은 라디오를 통해 북한이 침략해 내려왔다는 뉴스를 들었으나 모두 쉬쉬하는 분위기였다. 이는 3차대전의 시초가 될 수도 있었기에 걱정이 이만저만이 아니었다.

철호는 그해 국민학교(지금의 초등학교)를 졸업했고 형의 뒤를 따르고 싶어 했다. 큰형인 명호는 대대로 전해 내려오던 가업을 이어받기 위해, 몇 년 전부터 농업학교(일종의 중학교)에 진학해 공부하던 중이었다. 철호네 집안은 대대로 논농사를 지었고, 과수원도 함께하고 있었는데, 이를 통해 상당한 수확물을 얻기는 했지만 별로 부유한 생활을 하지는 못했다. 농업학교에 진학한 큰아들을 뒷바라지하는 데 꽤 큰 돈이 들었기 때문이었다. 이런 형편에 철호까지 농업학교를 보낼 수는 없는 노릇이었다. 철호는 고민할 수밖에 없었다. 그런데 할머니가 도움의 손길을 내밀어 주었다.

"일단 내가 모아둔 돈이 있으니 이걸로 시험에 응시해라. 일단 합격만 하면 네 아비도 아무 말을 못 할 게다. 그건 내가 장담하마." 철호는 아버지에게 비밀로 한 채 농업학교의 입학시험에 응시했다. 드디어 결과가 나왔고, 철호는 합격통지서를 받았다. 합격통지서를 아버지에게 내밀자, 아버지는 아무 말도 하지 못했다. 그런 아버지에게 할머니가 압력을 넣었다. 결국 철호는 농업학교에 입학할 수 있게 됐다.

그렇게 어렵사리 결정된 입학을 며칠 앞두고 한국전쟁이 터져버렸다. 전쟁은 철호의 삶을 완전히 다른 방향으로 뒤엎어 버리는 계기가 됐다.

어렸을 때는 매번 형의 옷을 물려받아 새 옷을 입어 본 기억이 없다. 부모님은 처음엔 나를 중학교도 안 보내려 하셨는데 할머니가 돈을 주셔서 시험을 치고 중학교에 들어갔다. 그런데 그해 6 • 25 전쟁이 일어나 결국 중학교는 다니지도 못했다.

Mr Lee's
Success
Mind

비즈니스는 투명하고 정직해야 한다

라면왕 이철호는 어렸을 적 아버지에게서 들은 "밤에 발 뻗고 자려면, 거짓말을 해서는 안 된다"는 교훈을 가슴에 새겼고, 그 조언을 훗날 비즈니스에도 그대로 적용했다. 사실과 다른 과대포장으로 일시적으로 상대방을 현혹하는 비즈니스는 머지않아 그 대가를 치르게 된다.

전쟁 속 생존 투쟁

비관주의자는 모든 기회에서 어려움을 찾아낸다.
낙관주의자는 모든 난관에서 기회를 찾아낸다.

— 윈스턴 처칠, 전 영국 총리

열네 살의 나는 엉뚱한 의욕과 자신감이 솟구치기 시작했다.
생전 처음 내 몫으로 돈을 만져보게 되니, 이 돈이면 뭔가 할 수
있겠다는 자신감이 생겼다. 전쟁통이지만 이 돈으로 돈벌이에
나서보겠다고 결심했다.

⬤⬤ 갑작스러운 전쟁

1950년 6월 25일, 한국전쟁이 발발했다. 새벽 4시, 북한군은 일제
히 38도 분계선을 넘어 남침을 강행했다. 전쟁을 위해 일찍부터 철저
히 준비한 듯, 그들은 강화된 군사력으로 무장해 선전포고 없이 남쪽
에 총부리를 겨누었다. 무려 13만 5천 명의 북한군이 무기를 앞세우

고 38선 아래로 내려와 무자비한 폭격을 가했다.

충격을 받은 쪽은 남한 정부뿐만이 아니었다. 유엔군도 준비가 돼 있지 않았기에 시기적절한 대응이 불가능하다는 것은 뻔한 일이었다.

같은 날, 당시 유엔사무국장이었던 트뤽베리에TrygveLie는 한반도 관련 사안을 안전보장이사회에 건의했다. 소련, 중국 등 각자의 의견이 분분했지만 결국 유엔안보리는 북한의 남한 공략은 엄연한 침략 행위이며, 이는 유엔군의 개입이 필요하다는 입장을 표명했다.

그러나 북한은 유엔의 결의를 무시하고 남침을 강행했다. 얼마 지나지 않아 북한군은 남한 땅의 대부분을 손에 넣게 되었고, 1950년 6월 28일 오후, 마침내 서울마저 그들 손에 넘어가고 말았다.

전쟁이 시작된 지 이틀 후, 유엔안보리에서는 남한 땅에서 북한군을 내몰고 평화와 안전을 되찾기 위해 필요한 조처를 하겠다는 새로운 결의를 채택했다. 대부분의 유엔회원국은 이 결의에 동의했지만, 때는 이미 북한이 부산 주변을 제외한 남한 땅의 대부분을 자기들의 세력권으로 만든 뒤였다. 같은 해 7월 초, 미국은 대규모 병력을 부산에 투입했고, 낙동강 근방에서 북한군을 겨우 멈춰 세울 수 있었다.

●● 흩어진 가족

어느 무더운 여름날 저녁, 철호의 아버지는 가족들을 거실로 불러 모았다. 폭격의 굉음은 점점 다가오고 있었다. 북한군의 남침 소식이

퍼진 지 며칠 지나지 않아, 남한 땅이 북한의 손아귀에 들어가리라는 소문이 사실로 받아들여지기 시작했다.

"우리도 하루빨리 피난을 떠나야 할 것 같다. 여기에 더 있다가는 그 누구도 안전을 보장해 줄 수 없다."

철호와 형제들은 아버지의 말을 가만히 듣고만 있었다. 상황이 얼마나 심각한지는 그들도 충분히 알 수 있었다. 며칠 전만 하더라도 논두렁에서 아무 걱정 없이 동네 아이들과 장난을 치며 놀았지만, 그런 분위기는 이미 온데간데없었다. 하루아침에 모든 것이 무너져 내린 기분이었다. 아버지는 말없이 한 묶음의 지폐를 가족들 손에 각각 쥐여주었다. 정갈하게 묶여 있는 지폐의 양은 얼핏 봐도 적지 않았다.

"자, 이 돈을 받아라. 만약 길에서 흩어진다고 하더라도 다시 만날 때까지 이 돈으로 어떻게든 입에 풀칠하고 살아남아야 한다. 전쟁이 어서 끝나야 할 텐데……."

그토록 심각한 아버지 표정은 난생처음이었다. 돈을 받아 든 철호는 그 묵직함에 만감이 교차했다. 무엇보다 걱정이 앞섰지만, 한편으로는 갑자기 부자가 된 듯한 느낌에 기분이 좋기도 했다. 철호는 어떤 일이 생기든 간에 언젠가는 좋은 날이 오리라 믿으며, 마음을 다잡았다.

그날, 철호의 가족들은 피난을 떠났다. 철호도 자기 몫의 보자기를 싸 들고 가족들을 뒤따랐다. 보자기 속에 든 것은 아버지로부터 받은 돈뭉치와 한 번도 펼쳐보지 못한 농업학교의 교과서가 전부였다. 고향을 떠나 피난길에 오른 사람은 철호네 가족뿐만이 아니었다. 남녀노소를 막론하고 많은 사람이 평생 살아왔던 고향을 떠나 정처 없이,

하염없이 발걸음을 옮길 따름이었다. 그저 폭격의 굉음이 들리지 않는 곳으로 찾아갈 수 있기를 바랄 뿐이었다. 하지만 전쟁의 발자취는 점점 남쪽으로 내려오고 있었다.

철호는 수많은 사람들이 섞여 있는 무리 속에 온 가족이 떨어지지 않고 함께한다는 것이 쉽지 않으리라는 것을 짐작했다. 실제로 일은 그렇게 돌아갔다. 철호의 가족들은 남쪽으로 향하는 기차에 몸을 실었다. 순간 무시무시한 굉음과 함께 대소동이 벌어졌다. 기차는 순식간에 아수라장이 되고, 철호도 중심을 잃고 기차 앞칸으로 데굴데굴 굴러갔다. 무언가 육중한 것에 머리를 맞은 그는 순간적으로 의식을 잃었다. 불과 몇 미터 떨어지지 않은 앞쪽의 철로가 폭격으로 끊어진 것이었다. 사람들은 앞다투어 기차 밖으로 나오려 애를 썼고, 철호는 피어오르는 연기 속에서 어머니를 잠깐 보았다. 어머니와 눈이 마주친 순간, 그는 어머니의 눈에서 스스로 강해져야 한다는 메시지를 읽어낼 수 있었다. 피난을 떠난 첫날, 서너 시간이 채 흐르기도 전에 그렇게 가족은 뿔뿔이 흩어졌다. 마치 그가 원하기라도 했던 것처럼, 그는 이내 홀로 남겨졌다.

사람들의 무리에 섞여 홀로 발길을 옮기던 철호는 두려움과 긴장감, 그리고 왠지 모를 묘한 흥분감에 몸을 떨었다. 마치 소설 속의 주인공이 된 것만 같은 기분이었다. 앞으로 어떤 일이 닥쳐올지 궁금하기도 하고 두렵기도 했다. 하지만 여전히 그의 가슴속에는 결국 모든 일이 잘될 거라는 긍정적인 생각이 자리하고 있었다.

철호는 아버지가 주신 돈이 생각났다. 돈뭉치는 그대로였으나, 전

쟁이 휩쓸고 간 후 기록적인 인플레이션으로 인해 돈의 가치는 휴지
조각처럼 떨어져 버린 뒤였다. 그는 가치가 더 떨어지기 전에 돈을 가
능한 한 빨리 써버리는 게 좋겠다는 판단을 내렸다. 문득 임시 노점상
에서 모자를 발견한 그는 가진 돈만큼 모자를 구입했다. 따가운 햇볕
에 허덕이는 피난민들에게 팔 수 있으리라는 생각 때문이었다. 상인
은 철호의 돈을 세어보더니 20개의 모자를 건네주었다. 하지만 철호
의 예상과 달리 목숨을 걸고 살 곳을 찾아 고향을 떠난 이들에게 햇볕
은 문제가 되지 않았다. 결국 그는 단 하나의 모자도 팔지 못했다.

'아무도 원하지 않는 상품은 가치가 없어.'

그는 쓸쓸한 교훈을 되새기며 사람들 쪽으로 시선을 향했다.

'저 사람들에게 지금 필요한 것은 무엇일까? 어떻게 하면 저 사람들
에게 물건을 팔 수 있을까?'

한참을 고민하던 철호에게 좋은 생각이 떠올랐다. 그것은 너무도
간단한 문제였다. 바로 물!

목마름을 호소하는 사람들은 한둘이 아니었다. 시골길, 들판, 기차
역, 어디서든 사람들은 물을 찾았다. 철호는 기차 안에서 첫 번째 손님
을 찾았다. 일단 기차에 오른 사람들은 몸을 절대로 움직이지 않았다.
조금이라도 자리를 옮기면 금세 다른 사람에게 자리를 빼앗길 게 분
명했기 때문이다. 그는 기차에 오르기 전, 커다란 병 하나에 물을 가득
채웠다. 컵에 긴 줄을 매달아 허리에 동여매고 기차 안 구석구석을 돌
아다니며 사람들에게 물을 주었다. 사람들은 컵을 비운 후 그에게 동
전을 하나씩 주었다. 그렇게 돌아다니며 병을 비우고 채우기를 여러

차례, 하루를 꼬박 그렇게 보내고 난 뒤 철호의 주머니에는 동전이 가득했다.

●● 수완 좋은 구두닦이

며칠 후, 철호는 낯익은 얼굴들을 마주하게 되었다. 고향 천안에서부터 알고 지내던 친구들이 기차를 탄 것이었다. 반갑게 인사를 나눈 그들은 곧 철호와 함께 기차 안에서 물을 팔기 시작했다. 그렇게 지내며 그들은 어디를 가든 동고동락하자고 맹세했다. 철호는 이제 혼자가 아니었다. 철호까지 모두 다섯 명의 소년들은 함께 도와가며 물을 팔았다. 그러는 동안에도 돈을 벌 수 있는 또 다른 방법을 찾기 위해 머리를 맞대고 고민했다. 물은 꾸준히 인기가 있었지만, 그렇게 번 돈으로는 하루하루 입에 풀칠하기도 버거웠기 때문이다.

그들도 피난민을 따라 남쪽으로 남쪽으로 발걸음을 옮겼다. 남한 땅 곳곳에는 피난민이 가득했다. 시간은 흘러 소년들은 돈벌이를 잃었고, 길에서 발견한 음식 찌꺼기나 주인 모르는 밭에서 서리한 과일들로 배를 채웠다. 때로는 구걸하기도 했으나 어쩔 수 없는 노릇이었다. 그때도 철호는 농업학교의 교과서가 들어 있는 보자기를 몸에 꼭 지니고 있었다. 함께 다니는 친구들은 무거운 보자기를 등에 지고 땀을 뻘뻘 흘리며 걷는 철호를 놀리기도 했으나, 철호는 조금도 개의치 않았다. 언젠가는 그 책으로 공부를 할 수 있게 되리라는 막연한 기대감마저 가지고 있었다.

전쟁 때 구두닦이 통을 메고 다니면서도 나는 항상 그 속에 교과서를 넣고 다녔다. 거지나 다름없는 생활을 할 때도 책만은 놓고 싶지 않았다. 전쟁이 끝나면 다시 학교에 돌아가야 한다는 생각 때문에, 다른 사람에게 모르는 것은 물어가며 공부했다.

그들이 대전쯤 도착했을 때였다. 각자 주머니에 있는 돈을 탈탈 털어도 모두의 배를 채우는 것은 불가능해 보였다. 소년들은 주위를 둘러보았다. 거리에는 사람들로 빈틈이 없었고 그마저도 모두 도움이 필요할 것 같은 사람들뿐이었다. 철호는 고개를 푹 숙이고 땅바닥을 내려다보았다. 힘없이 서서 눈물을 보이지 않으려 애쓰던 철호는 사람들을 똑바로 바라볼 용기조차 나지 않았다. 어디를 둘러보아도 낯선 사람들뿐이었다. 그때 바로 그 땅바닥에서 굶주림을 해결할 방법을 찾아냈다. 정답은 아주 가까이에 있었다.

"신발을 닦자! 주위를 둘러봐. 누구도 깨끗한 신발을 신은 사람이 없어!"

지저분한 군화, 먼지 묻은 신발은 곳곳에서 볼 수 있었다. 소년들은 여기저기서 판자 조각을 주워 허름하나마 임시 구두닦이 통을 손수 만들었다. 철호는 구두를 닦을 수 있을 만한 낡은 천 조각을 찾아다가 당장에 일을 시작했다.

"실례합니다. 혹시 구두 닦지 않으실래요?"

그는 눈에 보이는 사람이면 군인이든 경찰이든 놓치지 않고 따라가 이렇게 묻곤 했다. 그들이 멈춰 서면 잽싸게 허리를 굽혀 구두를 닦았다. 때로는 외면당하기도 하고, 심지어 발길질당할 때도 있었지만 포기하지 않았다. 가끔은 구두를 닦으라고 발을 내미는 사람도 있었기에 희망을 놓지 않았다. 이는 다른 소년들도 마찬가지였다. 그들은 점점 자신감이 붙었고 이제 살았다는 안도감에 사로잡혔다.

전쟁이 계속되는 가운데 시간은 흘러갔고, 철호는 그간 번 돈을 새 구두약과 솔을 사는 데 투자했다. 새로운 가능성은 곳곳에서 찾아낼 수 있었다. 기차역이나 버스 정류소처럼 사람들이 한동안 움직이지 않고 서 있는 장소를 발견한 철호는 그곳에서 사람들에게 묻지도 않은 채 몸을 웅크리고 앉아 말없이 구두를 닦았다. 그러다 신발 주인이 화를 내기라도 하면, 철호는 공짜라고 외치며 미소를 머금은 채 계속해서 신발을 닦았다.

그는 여기서 꾀를 냈다. 철호가 공짜라고 외친 것은 한 짝만을 이야기한 것이었다. 다른 쪽 구두도 닦을 테니 그 대가를 지불해 주십사 예의 바르게 청하면 대부분 사람은 어쩔 수 없다는 듯 승낙을 했다. 가끔 철호의 얄팍한 상술에 화를 내는 사람도 없지 않았으나, 자주 있는 일도 아니었기에 그럴 때면 웃으며 양쪽 다 공짜로 닦아주면 그만이었다.

그는 끊임없이 새로운 상술을 고안해 냈고, 손님은 점점 늘어가는 듯했다. 예의 바르고 겸손하게 보이기 위해 그는 절대로 사람들의 눈을 똑바로 바라보지 않았으며, 그저 몸을 웅크리고 앉아 구두를 닦으라며 정중하게 말을 건네기만 했다. 호칭도 늘 '손님' 혹은 '사장님'만을 사용했다.

🌑 스스로 택한 고아의 길

여느 때와 다름없이 철호는 한 켤레의 지저분한 구두 앞에 무릎을 꿇고 앉아 정중하게 말을 건넸다.

"사장님, 구두 닦으시겠습니까? 물론 공짜입니다."

신발 주인의 대답이 떨어지기도 전에 철호는 무언가 이상한 느낌을 받았다. 낯선 이는 말없이 철호 앞에 앉아 그를 바라보았다. 철호는 무슨 말을 해야 할지 모른 채 시선을 바닥에 떨구었다. 불편한 침묵을 깨고 마침내 낯선 이가 그에게 말을 건넸다.

"철호니? 철호 맞지? 이게 누구야. 정말 철호가 맞는구나!"

철호는 그제야 눈을 들어 손님을 쳐다보았다. 그는 철호의 삼촌이었다. 기분이 이상했다. 삼촌은 무슨 일로 대전까지 오게 되었을까?

"지난 수십 일 동안 온 가족이 너를 찾아 헤맸단다. 다들 무사하지만 너를 찾지 못해 걱정이 이만저만이 아니었어. 모두 위험을 피해 시골의 산마을에서 안전하게 잘 지내고 있는데, 너는 어떻게 지낸 거니? 너를 찾았다는 소식을 들으면 네 아버지가 얼마나 기뻐하실까? 이러고 있지 말고 삼촌이랑 같이 얼른 집으로 가자!"

철호는 그 자리에 서서 삼촌을 바라보았다. 어쩐지 너무 수치스러워 땅속으로 영원히 사라져 버리고 싶은 심정이었다. 아버지의 자식이 구두닦이가 되었다니! 철호는 아버지를 뵐 용기가 나지 않았다. 집으로 돌아간다고 하더라도 온 가족이 평생 부끄러워하는 아들로 살아야 할 것만 같았다.

'구두닦이나 구걸하는 거지나 다를 게 뭐가 있담. 이건 우리 가문에 먹칠한 거나 다름없어.'

철호는 삼촌을 만나지 않았더라면 더 좋았을 거라고 생각했다. 자신이 길바닥에 무릎을 꿇고 낯선 사람들의 구두를 닦았다는 사실을 부모님과 할머니가 알게 된다면…. 생각만 해도 끔찍했다. 차라리 그 수치심을 가슴속에 간직하고, 영원히 혼자 사는 게 낫겠다는 생각마저 들었다.

그는 아무 말도 하지 않고 자신의 물건들을 주섬주섬 챙겨 삼촌의 뒤를 따랐다. 그때까지도 가지고 있던 농업학교의 교과서가 든 보자기와 구두를 닦을 때 사용했던 물건들을 옆에 끼고 걸었다. 주머니에는 구두를 닦아 모은 돈도 꽤 있었다. 하지만 스스로가 세상에서 가장 가난하고 초라하게 느껴졌다.

사람들로 가득한 시내 한가운데서 삼촌이 잠시 한눈을 파는 사이, 결국 철호는 도망을 치고 말았다. 등 뒤에서는 자신을 부르는 삼촌의 목소리가 들렸다. 하지만 철호는 뒤도 돌아보지 않고 앞으로만 달려 나갔다.

철호는 함께 지내던 소년들에게 돌아가 다른 곳으로 떠나고 싶다고 이야기했다. 모두 동의했다. 소년들은 대전을 떠나 시골길을 걸으며 지난 일들을 회상하기도 하고, 가끔 농담도 주고받으며 걸어갔다.

"그때 일 기억나? 너 담벼락 위에서 중심 잡을 수 있다고 큰소리치다가 떨어졌잖아."

한 소년의 말에 모두 웃음을 터뜨렸고, 그때처럼 겁에 질린 철호의 얼굴은 본 적이 없다며 마구 놀려댔다.

"아니야, 겁이 났던 게 아니라고. 바지가 찢어져서 짜증이 났던 것뿐이야. 어머니께 혼날 게 뻔했으니까."

철호가 발끈하자, 소년들은 다시 웃음을 터뜨렸다. 철호도 함께 웃을 수밖에 없었다.

"어쨌든 이제 무슨 일이 있어도 서로 도와야 해. 살아도 같이 살고 죽어도 같이 죽자!"

소년 중 한 명이 한 말에 모두 전적으로 동의했다. 그들에게는 서로 의지할 만한 친구들이 존재한다는 것 자체가 가장 중요한 사실이었다.

나는 원래 사람 자체를 무척 좋아한다. 사람들 그 자체가 좋고 그들과 이야기 나누는 게 너무 좋다. 요즘도 가끔 거래처에 용건이 있어 갔다가 실컷 얘기만 하다 돌아올 때도 있을 정도다. 오랜 세월 비즈니스를 하고 사람들과 관계를 맺으며 내린 결론은 단 하나다. '남는 건 결국 인간관계뿐'이라는 사실이다.

절체절명의 순간에도 긍정의 힘을 믿어라

라면왕 이철호는 전쟁의 와중에도 긍정의 힘을 믿었다. 두려움과 긴장
감 못지않게 흥분감과 도전정신을 유지했다. 모든 상황이 불안하고 급
박했지만, 그의 가슴속에는 여전히 모든 것이 잘되리라는 긍정적인 마
음가짐이 있었다.

제품보다 사람들의 욕망을 읽으려 노력하라

라면왕 이철호는 전쟁 중에, 판매자가 팔기를 원하는 제품보다 소비자
들이 원하고 욕망하는 것을 팔아야 한다는 사실에 눈을 뜨기 시작했다.
소비자가 간절히 원하지 않는 상품은 존재가치가 없다.

목 숨 을 건 질 주

길이 아무리 어둡고 무서울지라도 절대 목표에서
눈을 떼지 않는 사람은 반드시 원하는 것을 얻게 된다.

— 오리슨 스웨트 마든, 하버드대 의학박사 겸 작가

함께 길을 떠났던 친구 중 하나는 들판에서 주운 폭탄을 호기심에 들척이다 그 자리에서 죽고 말았다. 친구가 옆에서 죽었을 때는 너무나 무섭고 슬펐다. 어린 나이지만 그렇게 몇 번 죽음의 순간을 넘나들고 나니 죽음에 대한 두려움도 모두 사라져 버리는 것 같았다.

🌑🌑 누렁소야, 미안해

1950년 9월 말, 유엔연합군은 드디어 서울을 회복했다. 전쟁은 결코 장난이 아니었다. 철호와 소년들은 전쟁이 무엇인지, 얼마나 무서운 일인지 똑똑히 보고 경험했다. 그때의 기억은 평생을 두고 지울 수 없는 것이기도 했다.

　그들은 저녁이 되면 함께 웅크리고 앉아 하늘을 올려다보며 이런 저런 이야기를 나누었다. 어떤 날은 고향의 가족에 대해, 또 어떤 날은 그날 일어났던 일에 관해 이야기를 나눴으며, 때로는 실없는 농담을 주고받기도 했다. 그러면서도 전쟁과 죽음은 거의 언급하지 않았다. 그저 어둠 속에서 서로를 다독이며 함께 밤하늘을 올려다보는 것으로 위안을 삼았다.

　철호는 그런 날들이 영원히 지속되기를 바랐다. 소년들과 함께 있을 때면 항상 마음이 편했다. 비록 전쟁의 상흔은 여기저기서 볼 수 있었지만, 뜻을 같이하는 친구들과 함께 있다면 그 어떤 어려움도 이겨 낼 수 있으리라는 것을 그는 알고 있었다. 그러나 단 한 가지, 먹을거리가 늘 걱정이었다. 어떻게 하면 하루를 연명할 수 있을 것인지 날마다 고민할 수밖에 없었다. 그들에게 단 한 가지 소원이 있다면 배부르게 먹고 푹 자는 것이었다.

　소년들은 남쪽으로 향하는 피난민 무리와 탱크를 타고 지나가는 군인들과 마주쳤다. 그렇게 길을 가다 길가에서 시체를 만나기라도 하면 그들은 일부러 못 본 척 시선을 돌렸다. 폭격에 무너진 건물들, 썩어가는 짐승들의 시체는 길가에 즐비했다. 대부분의 농가는 이미 주인들이 떠난 후라 폐허가 되기 일보 직전이었고, 불에 타 기둥만 앙상하게 남은 집들도 적지 않았다.

　어느 날 저녁, 철호와 소년들은 한 농가에 도착했다. 울타리 옆에 서서 망을 보던 그들은 집주인이 커다란 냄비를 들고 외양간으로 들어

가는 것을 보았다. 향긋한 콩나물죽 냄새가 울타리 곁에 서 있던 소년
들의 코를 찔렀다.

"소여물이야. 고향의 이웃 농가에선 콩나물로 죽을 쒀서 소에게 먹
이기도 했어. 영양가가 아주 많대"

소년들은 철호의 말에 고개를 끄덕였다. 그리고 울타리 옆에 몸을
숨긴 후 그대로 한참을 기다렸다. 모두 따스한 음식을 그리워하고 있
었다는 것은 말할 필요도 없었다. 농부가 외양간을 나서자마자 소년
들은 울타리를 넘었다. 살금살금 외양간 안으로 들어서니 단 한 마리
의 소가 외롭게 그들을 맞았다. 소년들은 정작 밥상의 주인공인 소를
밀쳐내고 양손으로 게걸스럽게 여물을 떠먹기 시작했다. 먹이를 빼앗
긴 소는 불만스러운 듯 울부짖었지만, 소년들은 들은 척도 하지 않았
다. 배가 불러 꼼짝도 못 할 때까지 소여물을 먹은 그들은 그제야 소에
게 자리를 내주었다. 집을 떠난 후, 그날처럼 배부르게 음식을 먹어본
것은 처음이었다. 만족한 소년들은 짚 더미 위로 기어올라가 드러누
웠다. 모두 오랜만에 배가 불러 깊은 잠에 빠졌다.

🔘 사라진 친구

다음 날 아침 일찍, 소년들은 다시 북쪽으로 향했다. 그들은 북쪽으
로 가면 갈수록 전쟁터와 가까워진다는 것을 알고 있었다. 일반인들
이 접근할 수 없는 곳, 목숨을 잃을지도 모르는 위험한 곳이라는 것 또

한 잘 알고 있었다. 하지만 그들은 북쪽의 전쟁터에 있을 군인들의 막사를 먼저 생각했다. 그곳에 가면 어떻게든 먹고살 수 있을지 모른다는 생각에 그들은 쉬지 않고 걸음을 옮겼다.

나와 친구 네 명은 전쟁통에 구두 닦는 통을 하나씩 메고 거리를 나섰다. 피난길과 반대 방향을 택한 건 사람들이 몰리는 곳에 따라가면 먹을 게 없으리라는 생각 때문이었다. 한마디로 '겁 없는 10대들'이었다.

북쪽으로 가면 갈수록 일반인들은 찾아보기 힘들었다. 그렇다고 군인들이 어디에 있는지 찾기 쉬운 것도 아니었다. 그저 매일 정도를 달리는 폭격의 굉음을 따라 발을 옮길 따름이었다.

마침내 그들은 한 군영에 도착했다. 뾰족한 철조망으로 둘러싸인 그곳에는 일반인 출입 엄금을 알리는 푯말이 서 있었다.

"우리가 여기 있는 건 아무도 못 볼 거야."

철호는 자신감에 찬 목소리로 말하고 먼저 철조망을 기어올랐다.

"Hey, you! Stop!"

그 순간 한 미군 병사가 철호를 향해 소리쳤다. 나머지 소년들은 여전히 철조망 밖에 있었다. 철호는 삼십육계 줄행랑을 치기 시작했다. 등 뒤에서 들려오는 미군 병사의 외침 소리는 그칠 줄을 몰랐고, 철호는 있는 힘을 다해 앞으로 계속 달려 나갔다. 눈앞에 보이는 작은 들판까지만 달려간다면 몸을 숨길 수 있을 것 같았다.

거의 언덕 끝에 다다랐을 때, 그제야 철호는 한숨을 돌리며 뒤를 돌아보았다. 이상하게도 뒤를 따르던 미군의 모습은 보이지 않았고, 나머지 소년들은 여전히 철조망 밖에서 그를 지켜보고 있었다.

철호는 숨을 몰아쉬며 그대로 주저앉았다. 한참 뒤 정말 안심해도 좋은 건지 주변을 둘러보다가 또 다른 푯말 하나를 발견했다.

'위험 지뢰지대'

철호는 순찰하던 미군들이 왜 더 이상 그의 뒤를 따라오지 않았는지 그제야 이해할 수 있었다. 철조망 밖에서 지켜보던 소년들은 지뢰가 터지지는 않을까 가슴을 졸였을 것이다. 하지만 철호는 운이 좋게도 지뢰밭을 무사히 건넌 듯했다. 곧 정적이 감돌고 순찰 군인들이 시야에서 사라지자, 소년들은 철조망 외부선을 따라 철호가 있는 곳까지 걸어왔다.

다시 만난 소년들은 계속 북쪽으로 향했다. 낮에는 시골길을 따라 걷고, 밤에는 하늘을 이불 삼아 잠들었다.

어느 날, 강가에 도착한 소년들은 옷을 벗어 던지고 차갑고 맑은 강물에 뛰어들었다. 누가 더 깊은 곳까지 헤엄치는지, 누가 물속에서 공중제비를 많이 넘을 수 있는지 경쟁하기도 했다. 서로의 어깨를 밟고 서서 다이빙하기도 하며 신나게 물놀이를 했다. 그러다가 한 친구가 뭍으로 올라가 모래를 파헤쳤다. 무엇을 발견한 듯 보였다.

"얘들아, 여기 와서 이것 좀 봐!"

소년은 모래 속에서 발견한 작은 물병 크기의 난생처음 보는 이상한 물건을 자랑스럽게 치켜들었다. 그것은 바로 미군들이 소위 '파인

애플'이라 부르는 것이었다. 아무도 그게 무엇인지, 어디에 쓰는 건지 모르고 있었다. 강 속에서 헤엄을 치던 소년들은 일제히 뭍으로 향했다. 하지만 그들이 미처 모래 위에 발을 디디기도 전에 귀가 찢어질 듯한 굉음이 울려 퍼졌다. 동시에 모래 기둥과 함께 강물이 엄청난 힘으로 솟아올랐다. 그들에게 뭍으로 올라오라 손짓하던 소년은 온데간데 없었다. 소년이 발견했던 것은 바로 녹색의 수류탄이었다.

아무도 예상하지 못했고, 너무도 갑작스럽게 일어난 일이었다. 그가 도대체 뭘 발견했던 것인지 소년들은 궁금하기 짝이 없었지만 입을 떼는 이는 아무도 없었다. 그들은 침묵과 슬픔 속에서 다시 발길을 옮겼다. 다섯 명의 소년이 이젠 네 명으로 줄었다.

"조심해야겠어…. 안전한 곳이라곤 도무지 찾을 수가 없어."

소년 중의 한 명이 무겁게 말문을 열었고, 모두 땅만 바라보며 발걸음을 옮겼다. 누구도 예상할 수 없는 위험을 피하는 것이 급선무였다.

●● 이렇게 죽을 순 없어

그렇게 걷던 소년들은 어느새 북한 땅에 들어서게 되었다. 허허벌판에는 남북한의 경계선도 보이지 않았다. 그러다가 임진강 앞에서 그들은 발길을 멈출 수밖에 없었다. 이제껏 한 번도 본 적 없는 거센 물살이었다.

"헤엄을 쳐서 건너자."

철호의 제안에 다들 머뭇거리기만 했다. 거센 물살을 바라보며 그러자고 쉽사리 동의할 수 없었다.

"강에서 다 같이 수영했던 거 생각나? 너희들 모두 헤엄칠 수 있잖아. 마음 단단히 먹고 정신만 똑바로 차리면 건널 수 있어. 여기까지 와서 포기할 순 없잖아."

철호는 머뭇거리는 친구들을 다그쳤다. 일단 어둠이 올 때까지 다함께 기다리기로 했다. 밤이 되자 다시 폭격이 시작되었고 귀를 찢는 굉음이 뒤를 이었다. 그들은 마침내 전선에 도착해 있었다.

"이제 때가 왔어."

철호는 자못 비장하게 이야기했다. 옷을 벗고, 벗은 옷가지들을 구두닦이 상자에 넣었다. 상자 밑에는 여전히 농업학교 교과서가 들어 있었다. 먼저 상자를 머리 위에 얹고 보자기로 질끈 동여맸다. 그러고 나서 강으로 들어가 물이 무릎에 찰 때까지 걸어보았다. 물살이 너무 거세서 걸을 때도 중심이 잘 잡히지 않았다. 자칫 방심하다가 물살에 떠내려가는 건 시간문제 같았다. 하지만 철호는 다시 한번 마음을 다잡고 강물 속에 몸을 던졌다. 열심히 팔을 움직여 헤엄을 쳐보았지만, 생각과 달리 몸은 자꾸 옆으로 나아갔다.

강물은 생각보다 훨씬 차가웠다. 소년들은 다시 뭍으로 돌아오라며 소리를 질렀지만, 물살이 흐르는 소리 때문에 철호의 귀에는 아무것도 들리지 않았다. 철호는 물속에 가라앉지 않으려고 힘차게 물장구를 쳤다. 어떻게든 물 표면에 떠 있어야 한다는 생각밖에 없었다. 점점 힘이 빠지고 팔다리에 쥐가 나기 시작했다. 그뿐만 아니라, 얼음처럼 차가운 물 때문에 머리가 터질 것만 같았다.

어떻게든 강을 건너야겠다고 생각하며 젖 먹던 힘까지 짜내어 헤엄을 치는 수밖에 없었다. 그러던 중에 머리에 이고 있던 구두닦이 상자가 물살에 떠내려가 버렸다. 철호는 고개를 돌려 전 재산이나 다름없던 물건들이 떠내려가는 모습을 바라보았다. 그 상황에서 할 수 있는 것은 아무것도 없었다. 현재의 시간에 매달려 있기 위해 과거는 물론 미래까지 희생시킨 셈이었다.

철호의 머릿속에 문득 강을 건너는 것은 불가능하다는 생각이 들었다. 절망감에 빠진 철호는 되돌아가고 싶었다. 그는 얼마나 헤엄을 쳐 왔는지 뒤를 돌아보았다. 이미 반이나 건너왔고, 그러느라 온몸의 힘을 거의 다 써버려서 되돌아가는 것도 쉽지 않을 것 같았다. 계속 앞으로 나아가는 수밖에 없었다. 철호에게는 선택의 여지가 없었다. 그는 다시 있는 힘을 다해 헤엄을 쳤다. 하지만 거센 물살은 그의 의지마저도 사정없이 꺾어버렸다. 그는 오로지 수면 위로 고개를 들어 올리는 데 온 정신을 집중했다.

'이 강을 건너야만 해! 할 수 있어, 난 할 수 있다고!'

같은 말을 속으로 수없이 되뇌었지만, 그에게 남아 있는 힘이라곤 하나도 없었다.

'난 절대 죽지 않을 거야. 여기서 죽을 순 없어.'

철호는 숨을 크게 들이마신 뒤, 있는 힘껏 팔을 움직였다. 마치 강바닥을 찾아 디뎌보려는 듯 두 발도 열심히 움직였다. 소년들은 자신들의 목소리가 닿지 않는 반대편 강가에 서서 철호를 계속 지켜보고 있었다.

　마침내 거센 물살이 축 늘어진 그의 몸을 덮쳤을 때, 소년들은 철호가 죽었다고 생각했다. 그들은 강 쪽을 뚫어지게 바라보며 하염없이 철호를 찾아 헤맸다. 하지만 강을 덮은 칠흑 같은 어둠 때문에 하류로 떠내려간 철호를 발견하는 일은 결코 쉽지 않았다. 단 며칠 사이에 두 명의 친구를 잃어버린 소년들은 더는 누구도 북쪽으로 나아가려 하지 않았다. 그들은 그날 밤 각자의 고향 집을 향해 발걸음을 재촉했다.

Mr Lee's
Success
Mind

어떤 상황에서도 배움의 끈을 놓지 말자

라면왕 이철호는 혼란의 극치인 전쟁 중에 생계를 위해 구두통을 메고 다니면서도 항상 그 안에 교과서를 넣고 다녔다. 거센 임진강을 헤엄쳐 건널 때조차 책을 넣은 구두 상자를 머리 위에 얹고 놓으려 하지 않았다. 극도로 힘든 상황에서도 배움에 대한 끈을 놓지 않았다.

미군과 함께한 병영생활

고통은 사람을 생각하게 만들고,
생각은 사람을 지혜롭게 만들며, 지혜는 인생을 견딜 만하게 만든다.

— 존 패트릭, 미국의 극작가

개인적으로 전쟁이 가장 많은 흔적을 남긴 곳은 나의 몸이었
다. 폭격을 만나 파편에 부상당한 것도 여러 차례였다. 당시의
심각성에 비하면 지금 살아남은 것만도 천만다행일 정도지만,
부상의 결과로 나는 평생 한쪽 다리를 절게 되었다.

●● 아치가 된 철호

천안으로 되돌아온 세 명의 소년은 철호의 부모를 찾아 그간 있었
던 일을 모두 설명해 주었다. 철호의 부모님은 전쟁으로 인해 이미 막
내아들을 잃은 상태였다. 둘째 아들마저 저세상으로 갔을지 모른다는
소식을 전해 들은 두 사람은, 다음 날 마을의 무당을 찾아 철호가 정말

목숨을 잃었는지 물어보았다. 무당은 커다란 바늘 하나를 꺼내 머릿
기름을 바른 후 대접에 담긴 물 위에 띄워놓았다. 바늘은 물 위에서 몇
바퀴를 돌더니 이내 바닥으로 가라앉았다.

"아드님은 물에 빠져 죽었어요."

무당이 말했다. 철호의 부모님은 무당의 말이 사실이라 믿었다. 시
체를 찾을 수도 없는 일이었기에 그들은 뒷동산에 철호를 위해 가묘
를 만들어 주었다.

같은 시각, 임진강 주변을 순찰하던 미군들은 벌거벗은 채 의식을
잃고 강가에 쓰러져 있는 철호를 발견했다. 철호가 강을 건너기 시작
했던 지점에서 수 킬로미터 떨어진 곳이었다. 그가 그 자리에 얼마나
오래 누워 있었는지 아는 사람은 아무도 없었다.

미군들은 죽은 듯 녹초가 돼 쓰러져 있는 철호를 막사로 데려가 먹
고 마실 것을 주었다. 철호는 전쟁이 나기 전, 큰형으로부터 주워들
은 영어 단어를 기억해 냈다. 덕분에 조금 쑥스러워하긴 했지만 'Yes',
'Thank you' 정도의 표현은 쓸 수 있었다. 영어를 계속 듣다 보니 미군
들끼리 하는 말도 대충 알아들을 수 있을 것 같았다. 그는 매번 새로운
문장을 들을 때마다 속으로 되뇌어 보고, 대화에 실제로 활용해 보려
노력했다. 더 많은 단어를 배우려 따로 공부하기도 했다. 얼마 지나지
않아 철호는 다른 군인들 틈에서 사령관에게 'Yes, sir!' 하며 거수경례
까지 하게 되었다.

철호는 가능한 한 그곳에 오래 머무는 것이 살길이라 생각했다. 만
약 미군들 밑에서 일을 할 수만 있다면, 전쟁이 아무리 오랫동안 지속

되더라도 배를 곯지는 않을 것 같았다. 그는 미군 병영에서 자신이 할 수 있는 일을 찾기 시작했다. 아무도 시키지 않았지만, 막사를 깨끗이 청소하고, 병사들의 침대를 일일이 정리했으며, 군화를 닦고 군복을 빨았다. 미군들은 이런 철호에게 칭찬을 아끼지 않으며, 그를 '하우스 보이'라 불렀다. 물론 말은 잘 통하지 않아 군인들이 뭐라고 말이라도 시킬라치면 그는 으레 'Yes, sir'하고 대답했고, 그럴 때면 여기저기서 킥킥대는 군인들의 웃음소리가 들렸지만, 그럴수록 철호는 영어 공부에 더욱 매진했다.

나는 초등학교 시절부터 영어에 관심이 많아서 고등학생이 던 형님 어깨너머로 몇 마디씩 주워듣곤 했다. 그런 호기심이 기본으로 깔린 데다 미군들과 일상생활을 같이하며 적극적인 태도로 열심히 배우다 보니 영어 실력은 내가 느끼기에도 하루 가 다르게 발전해 갔다.

어느 날, 미국 제1 해병사단의 사령관인 월터 쉬나이더Walter Schneider 장군이 막사 검열을 위해 철호가 있는 부대에 방문했다. 철호도 미군 들 틈에 반듯하게 줄을 지어 나란히 섰다. 새 유니폼도 입은 터라 마치 어른이 된 것 같은 착각에 빠지기도 했다. 장군은 군인들 틈에 섞여 있 는 어린아이가 누구인지 물었다.

"장군님, 여기 이 아이는 우리 부대의 새로운 마스코트입니다. 이 아 이가 이곳에 온 이후에는 북한군의 직접적인 공격을 단 한 번도 받지 않았습니다. 또한 아주 부지런해서 따로 시키지 않아도 설거지, 청소 등의 허드렛일을 도맡아서 합니다. 가끔은 부대원들을 위해 통역까지 하니, 하루 세 끼 식사를 제공해도 전혀 아깝지 않은 사람입니다."

장군은 철호를 지긋이 바라본 뒤 고개를 끄덕였다.

"이름이 뭐지?"

"저녁마다 아치 볼Archie Ball이라는 만화책을 읽어서, 아치라고 부르고 있습니다."

"바로 이런 아이가 필요하던 참이었어. 내게로 보내주지 않겠나?"

일은 그렇게 되었다. 아치라고 불리던 철호가 막 열다섯 살이 되려던 참이었다. 이제 철호의 이름은 아치나 다름없었다. 장군의 개인 비서 격으로 진급한 아치는 상급 군인들과 고급 막사에서 생활했고, 푹신한 침대와 개인 책상도 가질 수 있게 되었다. 보통의 군인들에 비해 키가 50센티미터는 작았기 때문에 유니폼도 특별히 제작된 것을 입었다.

◖◗ 부활한 아들

쉬나이더 장군은 아치를 아들처럼 보살펴 주었다. 매일 영어 공부를 할 수 있도록 도움을 주기도 했으며, 외부에 정찰을 나갈 때는 항상 그를 대동했다. 한번은 헬리콥터를 타고 특별 순찰을 나갈 때 아치를 데리고 간 적이 있었다. 난생처음 헬리콥터를 타본 아치는 발밑으로 내려다보이는 너무도 참혹한 광경에 할 말을 잃었다.

그날 저녁, 아치는 고향의 가족들이 그리워 눈물을 쏟느라 잠을 이루지 못했다. 그런 그에게 쉬나이더 장군은 왜 그러는지를 물었다. 아치는 짧은 영어 실력으로 더듬거리며, 천안 고향 집에 살고 계시는 부모님, 수류탄 사고로 눈앞에서 사라져 버린 친구에 관한 이야기를 모두 했다. 그리고 가족을 만나고 싶다는 말을 덧붙였다. 쉬나이더 장군은 아치를 도와주겠다고 약속했다.

며칠 후, 장군은 부산으로 사흘간 출장을 떠나게 되었다.

"아치, 너도 함께 가자. 천안에 내려줄 테니 부모님께 인사를 올려라. 대신 내가 부산에서 일을 마치고 다시 들를 때 함께 돌아오는 거다. 우리 부대엔 너의 통역이 꼭 필요하니까."

아치는 부모님을 다시 만날 수 있다는 사실을 도저히 믿을 수 없었다. 천안으로 가는 길도 꿈만 같았다. 고향 집에 도착할 때까지 한마디도 하지 않고 헬리콥터 아래로 펼쳐지는 경관을 내려다보았다. 천안에 다다르자, 눈에 보이는 풍경이 익숙하게 느껴졌다.

"저기! 저기가 우리 집이에요!"

마침내 작은 언덕가에 자리한 고향 집이 보이자, 아치는 그곳을 가리키며 소리쳤다. 헬리콥터는 천천히 착륙했고, 헬리콥터가 완전히 멈추어 서기도 전에 뛰어내린 아치는 어머니에게로 달려갔다.

마침 어머니는 마당에서 비질을 하고 있었다. 그녀는 자신을 향해 달려오는 아치를 뚫어지게 바라보았다. 어쩐지 두려운 눈빛이었다. 아치는 아랑곳하지 않고 두 팔을 벌려 어머니에게로 달려갔다. 어머니는 깜짝 놀란 채, 뒤돌아 집 안으로 뛰어 들어가며 소리를 질렀다.

"처… 철호를 봤어요. 철호가 나타났다고요!"

죽었다고 생각한 아들이 멀쩡히, 그것도 하늘에서 내려오다니 어머니 입장에서는 기가 막힐 노릇이었다. 헬리콥터는 요란한 엔진소리를 내며 다시 이륙했다. 어머니를 향해 달려가던 아치는 문 앞에서 잠시 멈춰 선 채 안에서 들려오는 말소리에 귀를 기울였다. 할머니의 목소리였다.

"뭐라고, 철호가 왔다고? 네 아들이 돌아왔는데 이렇게 모른 척 뛰어 들어오면 어쩌니!"

"철호일 리가 없잖아요. 제 아들 철호는 이미 죽었다고요. 어머니도 아시잖아요!"

그 말을 들은 아치는 어쩐지 웃음이 나왔다.

"아뇨, 저는 죽지 않았어요. 이렇게 여기 서 있잖아요, 어머니."

철호는 대문 앞에 바로 서서 양팔을 크게 벌린 채 의연하게 이야기했다. 잠시 정적이 흐른 뒤, 어머니와 할머니는 대문을 향해 걸어 나왔다. 둘은 한참을 꼼짝도 하지 않고 서서 그를 뚫어지게 바라보더니 와락 끌어안았다.

"내 아들, 내 아들 철호야…."

어머니는 더 이상 말을 잇지 못했다. 근처에 살고 있는 가족과 이웃, 친척과 친구들이 방문해 이내 눈물바다를 이루었다. 아치는 다시 철호가 돼, 같은 이야기를 수도 없이 반복해야만 했다. 외양간에서 소여물을 훔쳐 먹었던 이야기, 지뢰밭을 멋모르고 달렸던 이야기, 수류탄을 가지고 놀다 목숨을 잃은 친구 이야기, 얼음장처럼 차가운 임진강을 건넜던 이야기, 그리고 미군들 틈에 있다가 지금은 장군의 비서 노릇을 톡톡히 해내고 있다는 이야기까지. 다시 만난 가족들과 친구들에게 이 같은 이야기를 수도 없이 되풀이하며 기쁨의 눈물을 함께 흘렸다.

사흘은 너무도 짧았다. 천안에서의 마지막 날, 집 근처에 헬리콥터가 착륙했다. 아치와 가족들의 눈은 빨갛게 충혈돼 있었다. 모두 크게 아쉬워했다.

"다시 돌아올게요, 어머니. 약속합니다."

◉◉ 미션 파서블

전쟁은 언제 끝이 날지 알 수 없었다. 부대로 다시 돌아온 아치는 언제 식구들을 만났냐는 듯 전과 다름없는 생활을 계속했다. 그간 미군 친구들도 꽤 많이 사귀었다. 그들은 때로 아치를 동생처럼 대하기도 했고, 친구처럼 대하기도 했다. 그가 필요하면 밤낮을 가리지 않고 찾았고, 그런 아치는 미군들이 시키는 일을 단 한 번도 거절한 적이 없었다. 특히 파수꾼 노릇을 하는 일은 빈번하게 맡는 일 중의 하나였다.

"우리가 텐트 안에서 카드놀이를 할 때, 외부 동정을 잘 살펴줘. 누가 오면 바로 소리를 쳐서 알려주는 게 네 임무야."

군인들은 월급날이면 어김없이 카드놀이를 했다. 밤새도록 블랙잭이나 포커 같은 카드놀이를 하는 동안, 달러 뭉치들은 이 손에서 저 손으로 수도 없이 왔다 갔다 했다. 위스키 잔을 앞에 두기라도 한 날엔 환호성과 웃음소리가 끊이지 않았다. 돈을 딴 미군들은 아치에게 몇 푼 쥐어주며 술이나 담배를 더 가져오라고 시키곤 했다.

아치는 그날도 담배 연기 자욱한 텐트 앞에서 망을 보고 있었다. 텐트의 열린 틈새를 살짝 들여다보던 아치는, 그 안에서 가장 나이 어린 군인이 돈 대신 시계를 풀어 던지자, 상황이 심각하게 돌아가고 있다는 것을 감지했다. 돈을 따는 사람이 있으면 잃는 사람도 있는 법. 카드놀이가 끝난 다음 날에는 잡지나 담배를 살 돈마저 잃은 빈털터리 군인들이 속출하곤 했다. 그렇다고 그런 군인들이 월급 전에 돈을 구할 방법이 전혀 없는 것은 아니었다. 하지만 그럴 때도 아치의 도움은 반드시 필요했다.

"아치, 여기 빈 탄약통과 군화, 허리띠를 줄 테니 이걸 2달러에 팔아다 줄래? 2달러 넘게 팔리면 나머지 돈은 가져도 좋아."

어느 날 한 군인이 아치에게 이야기했다. 아치는 미국 물건이라면 비싼 값을 치르고라도 구매할 만한 사람들이 많다는 걸 잘 알고 있었다. 그는 숙소로 돌아와 미군에게서 받아온 물건들을 새것처럼 닦았다. 그렇게 받는 물건들을 바로 팔기도 했지만 가끔은 비누나 초콜릿, 담배 등과 맞바꾼 후 팔기도 했다. 이런 거래를 할 때마다 아치도 적지 않은 이윤을 남겼다.

●● 운명의 그날

부대 내에선 매달 몇 번씩 함께 모여 영화를 보곤 했다. 영화를 상영하기 위한 막이 설치되면, 군인들은 들뜬 기분을 감추지 못했다. 등을 접을 수 있는 간이 의자를 놓고 줄지어 앉은 군인들은 그날 무슨 영화가 상영될지를 놓고 내기를 하기도 했다.

아치는 그런 날을 좋아했다. 군인들은 아치에게 초콜릿과 콜라를 쥐여주었고, 키가 작은 그를 위해 한가운데 따로 의자를 놓아주기도 했다. 화면을 통해 마릴린 먼로Marilyn Monroe, 엘리자베스 테일러 Elizabeth Taylor 등의 유명한 배우들을 볼 때면 아치는 자신이 마치 미국인이 된 것 같은 착각에 빠지곤 했다.

그날도 모두 한자리에 모여 영화를 보고 있었다. 주인공들이 온갖 오해와 어려움을 이기고 마침내 서로의 사랑을 확인하는 순간이었다. 저 멀리서 총소리가 어둠을 뚫고 들려왔다. 북한군이 미군 병영을 공격한 것이었다. 총성이 오가는 혼란 속에서 한 미군이 바닥을 기어 아치를 끌어냈다. 그들은 의자 다리 사이로 이리저리 몸을 피하며 숨을 곳을 찾았다.

아치와 미군은 텐트를 나와 숲 쪽으로 몸을 피했다. 북한군은 움직이는 것에는 모두 총을 겨누었고, 텐트 안으로는 수십 개의 수류탄을 던져넣었다. 모든 것이 끝이라는 생각이 들었다. 그는 바닥에 납작하게 몸을 붙인 후 그곳을 벗어나려 해봤지만, 생각처럼 몸이 움직이지 않았다. 그러는 와중에 수십 개의 파편이 그의 고관절(골반과 대퇴골을 잇는 가장 중요한 관절_편집자 주)에 박혀버렸다.

　　내 몸이 뭔가 이상하다는 걸 느꼈다. 나는 배와 고관절 부분
　　에 파편을 맞았던 것이다. 일어나려고 했지만, 몸이 말을 듣지
　　않았다. 다리가 이상했다. 내 다리는 분명한데 도무지 말을 듣
　　지 않았다. 치명적인 부상이었다.

　미군은 곧바로 응사했지만, 이미 목숨을 잃은 군인들은 한둘이 아
니었다. 사상자들은 근처 군사병원으로 옮겨졌다. 아치도 이미 많은
양의 피를 흘리고 의식을 잃은 상태로 그 틈에 누워 있었다. 이른 시일
내에 수술받아야 하는 상황이었다. 미국인 의사는 그곳에 있는 의료
장비로는 아치의 목숨을 구하기 어렵다는 결론을 내렸다.

　결국, 아치는 38선 근처에 자리한 노르매시NORMASH(Norwegian
Mobile Army Surgical Hospital)라고 하는 노르웨이 막사의 임시 군사병
원으로 옮겨졌다. 한국에서의 삶에 마침표를 찍을 날도 얼마 남지 않
은 듯 보였다.

　노르매시 내에선 모든 것이 숨 가쁘게 돌아갔다. 군사병원이 문을
연 지는 고작 3년, 그 사이 무려 9만 명의 환자들이 그곳에서 진찰받
고 부상을 치료받았다. 세계 곳곳에서 온 유엔군들, 수만 명의 군인들
과 일반인들, 북한과 중국 소속의 전쟁포로들이 거쳐 갔으니 늘상 바
빠 움직일 수밖에 없었다.

　당시, 노르매시로 옮겨진 아치를 진찰했던 이는 노르웨이 군사병원

의 중령으로 있던 대표 의사 베른하르드 페우스Bernhard Paus 박사였다. 아치의 오른쪽 대퇴골은 반 이상이 찢겨 나갔으며, 복부 또한 살갗이 여기저기 헤집어져 있는 상태였다. 페우스는 즉각 의료진을 소집해 수술을 진행했다. 몇 시간의 수술에도 불구하고 소년의 생명은 금방이라도 꺼질 듯 앞날을 보장할 수 없었다. 수술을 마치고 나니, 소년의 맥박은 더 이상 뛰지 않았다. 의료진은 그가 죽었다고 판단을 내렸다. 그러나 아치는 여전히 살아 있었고, 한 젊은 간호사가 그런 그를 발견했을 때는 그로부터 하루가 지난 후였다.

페우스 박사에 따르면 수술을 집도하는 도중 내 숨은 분명히 끊어졌다고 했다. 명백한 의학적 사망 상태였다는 것이다. 결국 그는 모든 노력을 포기하고 나를 다른 천막으로 옮겼다. 그런데 다음 날 시체를 치우려는 순간, 죽은 줄 알았던 내가 꿈틀거리며 움직이더라는 것이다. 시체가 움직였으니 그 간호사는 얼마나 놀랐을까?

아치는 생사의 갈림길에서 다시 생의 길로 올 수 있었다. 그렇게 다시 수술대에 오르게 되었고, 더 많은 마취제와 혈액을 공급받았다. 아치는 몽롱한 상태에서 눈앞에 아른거리는 것들이 모두 꿈이었으면 좋겠다고 생각했다.

담당 의사는 소년을 위해서라도 긍정적인 태도를 잃지 않으려 애썼으나, 그러기에는 아치의 상태가 매우 좋지 않았다. 출혈은 멈출 수 있다 하더라도 그 뒤에 따를 후유증에 대해서는 장담할 수 없었다. 최악의 경우, 다리를 절단해야 할지도 모를 상황이었다.

마침내 아치가 의식을 회복했다. 그 사이 몇 번이나 수술대에 올랐는지, 아치는 기억할 수조차 없었다. 날짜와 시간은 물론, 자신이 지금 어디에 누워 있는지도 알 길이 없었다. 그저 자신이 놓여 있는 상황이 매우 좋지 않다는 것을 직감적으로 알 수 있을 뿐이었다.

아치는 상처 난 오른쪽 다리를 내려다보기 위해 고개를 들었다. 움직일 때마다 다리 전체가 간질간질했다. 팔꿈치로 몸을 지탱하고 상반신을 살짝 들어 올리자, 침대 위에 꿈틀거리고 있는 하얀 구더기들이 보였다. 그 모습을 본 아치는 금방이라도 토할 것만 같았다. 살점이 썩어 들어가는 자리에 벌레가 생긴 것이었다.

수술을 진행했던 중령은 쉬나이더 사령관에게 경과를 보고했다. 일단 목숨을 살려내기는 했으나, 몇 번의 수술을 더 받아야 앞날을 보장할 수 있다는 내용이었다. 쉬나이더는 좌절하지 않고 그 즉시 아치를 도울 수 있을 방안을 강구했다. 아치는 그에게 아들과 다름없는 존재였기에 그대로 죽도록 내버려 둘 수는 없었다. 그는 아치를 도와달라는 내용의 전갈을 사방에 보내면서 어딘가에 희망이 있을 거라 굳게 믿었다.

아치의 담당 의사는 현재의 의료 장비로는 아치에게 더 이상의 도움을 주기 힘들다고 이야기했다. 다만 그를 살리고 싶다면, 전쟁터 밖으로 보내, 시설이 좋은 일반 병원에서 치료받을 수 있도록 해주는 수밖에는 없다고 했다. 쉬나이더는 이에 동의하고 미국 병영신문인 〈스타즈앤스트라입스Stars and Stripes)에 사연을 기고해 도움을 요청했다.

'여기 삶을 희망하는 소년이 있습니다. 도움을 기다립니다.'

부상을 입은 한국 소년에 관한 이야기는 미군들 사이에 빠른 속도로 번져나갔다. 한국에 군사를 파견한 각 나라에서 도움의 손길을 내밀기는 했지만, 쉬나이더는 오직 미국 정부의 대답만을 기다리고 있었다. 그러나 미국 정부에서는 아무런 반응도 보이지 않았다. 그들의 입장은 자국민이 내는 세금으로 미국 시민이 아닌 사람을 치료할 수 없다는 것이었다.

쉬나이더는 절망했다. 그때 노르웨이로부터 소년에게 도움을 주고 싶다는 소식을 전해왔다. 무언가 새로운 희망이 생기는 것 같았다. 그가 생각하기에 노르웨이는 믿을 만한 곳이었다. 노르매시의 의료진도 훌륭했지만, 노르웨이 영토 내의 병원 시설이나 의료 기술은 가히 세계 최고라 할 만했기 때문이었다.

"저는 곧 노르웨이로 돌아갈 예정입니다. 만약 아치가 그곳에서 치료받을 수 있게 된다면, 곁에서 최선을 다해 보살피겠습니다." 페우스 박사가 말했다. 당시 아치는 열여섯 살이었다. 장군뿐만 아니라 그 누가 생각하더라도, 세상을 등지기엔 너무 이른 나이임이 틀림없었다.

인생에서 '적극성'은 제1의 자산이다

라면왕 이철호는 미군 병영 막사에서도 특유의 적극성과 근면성을 발휘하여, 시키지 않아도 스스로 일을 찾아 청소, 빨래, 정리 정돈, 심부름 등등 온갖 잡일을 가리지 않고 했다. 곧 병사들의 신임과 추천으로 장군의 개인 비서로 고용되었고 장군에게 없어서는 안 될 존재로까지 자리하게 된다. 한편 미군 물건을 판매 대행함으로써 장사 마인드의 기초를 다지게 된다.

언어 습득에서도 '적극성'이 제1의 자산이다

라면왕 이철호는 당시 낯선 외국어였던 영어를 습득할 때에도 특유의 호기심과 적극성을 발휘, 미군 부대에 없어서는 안 될 통역관 역할까지 하기에 이르렀다. 전혀 기본기도 없던 영어 실력이 그때의 노력으로 일취월장해 오늘날의 뛰어난 영어 실력의 바탕을 다지게 되었다.

노르웨이로의 험난한 여정

너무 멀리까지 나아가는 위험을 무릅쓰는 사람만이
얼마나 멀리 갈 수 있는지를 알 수 있다.

— T.S 엘리엇, 미국계 영국 시인 겸 극작가

거지 행색에, 울어서 퉁퉁 부은 얼굴로 마침내 나는 비행기에 올랐다. 그 순간 마음속엔 원망과 미움만이 가득했다. 내 옷과 구두를 가져가 버린 나쁜 친구들과 나를 믿어주지 않은 군인들에 대한 미움만이. "대한민국 이 더러운 나라, 다시는 돌아오지 않을 거야!" 고래고래 소리까지 지르며 나는 사랑하는 내 조국을 떠났다.

●● 황당한 작별 파티

쉬나이더는 아치가 노르웨이에 갈 수 있도록 최선을 다했다. 그는 다시 〈스타즈앤스트라입스〉를 통해 노르웨이어를 할 수 있는 사람을 찾는 광고를 냈다. 얼마 후, 스물세 살의 미군 상병, 올라프 알베르트 카르스Olaf Albert Kahrs가 자원을 했다.(77페이지 사진 참조) 그는 노르웨이에서 태어나 자라다가 3년 전 미국으로 이민을 했으며, 이민한 지 9개월 되었을 때 군복무를 하기 시작했다. 군에서 1년간 예비훈련을 받은 뒤 한국전쟁에 파견되었고, 한국에 와서는 병영 신문사에서 일을 했다. 이제 그에게 주어진 임무는 아치를 무사히 노르웨이에 데려가는 것이었다. 이 일만 무사히 마치면 전역을 하고 노르웨이나 미국으로 돌아가도 좋다는 약속을 받았다.

카르스는 아치가 노르웨이에 가기 위해 필요한 서류를 준비했다. 기다림은 지루했다. 몇 달이 지난 뒤 마침내 아치는 노르웨이 방문 비자와 1년 거주 허가를 받을 수 있었다. 그가 노르웨이에 가기 위해서는 일본을 거쳐야 했기 때문에 통과 비자가 필요했다. 때문에 카르스가 일본까지 아치와 동행하기로 했다.

아치는 일단 부산으로 가서 일본으로 가기 위한 통과 비자를 받아야 했다. 부산에 도착한 아치는 항구 근처에 있던 싸구려 여관에 묵으며 그 근처의 스웨덴 의료진들에게 계속 치료를 받았다. 아치의 다리에 감겨 있는 붕대는 조금만 시간이 지나도 퀴퀴한 냄새를 풍겼기 때문에 매일 갈아주어야 했다. 의사는 아치에게 관심을 보이면서 통증이 좀 따르더라도 가능한 한 몸을 많이 움직이라고 조언해주었다. 아치도 그러기 위해 애를 썼으나, 생각보다 통증이 너무 심해 거의 침대에 누워 지냈다. 그렇게 부산에서 지내며 열일곱 살이 되었고, 그곳에서 아무도 몰라주는 생일까지 보냈다.

전쟁 중이었기 때문에 행정절차가 늦어지는 게 어찌 보면 당연한 일이었다. 막연히 대기하는 수밖에 없는 노릇이었다. 1954년 3월, 아치가 부산에서 생활한 지도 3개월이나 지났다. 그 여관에 있던 사람들과 얼굴을 익히기에도 충분한 시간이었다. 사람을 어지간히 좋아하는 아치는 부산에 머무는 동안에도 많은 친구를 사귀었다. 뒷골목 깡패들, 몸 파는 여자들, 그녀들의 포주들… 등등 좋고 나쁜 사람을 가리지 않고 스스럼없이 대했다. 그렇게 보름이 더 지나고 난 뒤, 아치는 드디어 일본으로 출국해도 좋다는 연락을 받았다. 이제 모든 일이 잘 풀릴 것 같아 정말 기뻤다. 파티라도 열고 싶은 심정이었다. 아치는 쉬나이더 장군에게 받은 달러 뭉치를 여관 주인에게 쥐여주며 술과 안주를 좀 사다달라고 부탁했다. 그리고 여관의 모든 손님을 한자리에 모아 작별 파티를 열었다.

그때나 지금이나 나는 사람 사귀는 걸 무척 좋아한다. 지금도 나는 사람을 가리지 않는다. 어렸을 적 부산에서 혼자 머물던 동안에는 거리의 부랑아들, 마약하는 아이들과도 친하게 지냈다. 삶의 방식은 달라도 상대방에 대한 마음만 진심이라면 사람은 누구나 친구가 될 수 있다고 믿는다.

꽤 특별한 밤이었다. 모두 각자 위스키를 가져와 신나게 먹고 마시며 즐겼다. 다음 날 아침, 눈을 떴을 때 당혹감을 감출 수 없었다. 함께 즐기던 사람들과 함께, 아치의 옷이며 신발은 물론 특별히 제작된 군복까지도 사라지고 없었다. 좋은 친구라고 생각했던 여관의 손님들은 모두 범죄자나 다름없었다. 쉬나이더 장군이 여비로 쓰라고 줬던 돈마저 없어졌다. 술김에 신이 나서 직접 준 것인지, 아니면 그들이 훔쳐 간 것인지조차 확인할 길이 없었다.

◉◉ 더러운 내 조국

  아치는 하룻밤에 무일푼 신세가 되었다. 주머니에는 공항에 갈 차비조차 없었고, 상황은 갑자기 심각해졌다. 백여 일을 기다린 일이었다. 여관 주인은 오히려 방심했던 아치를 꾸짖었다. 그러나 이미 엎질러진 물, 주인은 고맙게도 아치에게 헌 옷가지를 입히고, 부산의 군사공항까지 갈 수 있는 차비를 쥐여주었다.

  부산 서면의 군사공항에 도착한 아치는 군용 비행기가 자기를 기다리고 있는 것을 보고 다시 기분이 좋아졌다. 이제야 일이 바로 돌아온 것 같은 기분이었다. 그러나 헌병들은 행색이 초라한 그를 미친 놈 취급하며 군사전용 비행장에 절대 들여보내려 하지 않았다. 몇 번의 필사적인 시도가 모두 수포로 돌아가자 아치는 낙담한 채 출입문 밖에 주저앉아, 철조망 사이로 비행기 몸체를 바라보았다.

  '저 비행기를 놓치면 내 앞날은 다시 절망의 구렁텅이로 빠지겠지.' 꿈도 희망도 사라졌다. 그러나 그가 탓할 수 있는 사람은 아무도 없었다. 하나부터 열까지 모두 아치의 잘못이었다.

누더기 옷에 짝짝이 고무신을 신은 나를, 헌병들은 절대 비행장 안에 들여보내려 하지 않았다. 아무리 설명을 하고 애원을 해봐도 소용이 없었다. 거지꼴을 한 녀석이 초라한 보따리를 들고 와서 비행기를 탄다고 하니 미친 놈 취급하는 것이었다. 막아서는 헌병들 사이를 뚫고 들어가려면 잡히고, 그대로 또 들어가려 하면 헌병들이 끌어내 나를 두들겨 팼다. 모든 걸 포기하고 구석에 서서 엉엉 울었다. 이제 끝장이라고 생각하니 설움이 복받쳐 주체 못 할 눈물이 솟구쳤다.

순간 누군가가 아치의 어깨를 움켜쥐었다. 그는 자신을 쫓아내려는 헌병의 손인 줄 알고 눈물을 훔치며 뒤를 돌아보았다. 그런데 그곳엔 부산의 스웨덴 병원에서 날마다 다리의 붕대를 갈아주던 의사가 서 있었다. 아치가 비행기를 무사히 탔는지 확인하러 온 것이었다. 그런데 아치가 비행장 근처에도 가지 못한 채 바닥에 앉아 울고 있으니, 그도 기가 막힐 노릇이었다. 의사는 바로 기장에게 매우 중요한 환자 한 명이 탑승하지 못했다고 연락하고, 공항의 순찰대원들과 함께 비행기까지 아치와 동행했다.

"우리는 네가 거짓말을 하는 줄로만 알았지. 누더기 옷을 입고 일본으로 가겠다고 말하는데, 정신 나간 사람처럼 보일 수밖에. 오해해서 미안하다."

순찰대원들은 아치에게 수도 없이 사과를 했다. 의사는 아치를 비행기 안까지 데려다주었고, 아치는 창밖을 내다보며 중얼거렸다.

"난 전쟁이 정말 싫어. 다시는 이곳으로 돌아오지 않을 거야."

한국전쟁에 건강도 잃고 돈도 잃고 모든 것을 잃은 그는, 언젠가는 꼭 다시 돌아오겠다며 어머니와 했던 약속도 떠올리고 싶지 않았다.

Mr Lee's
Success
Mind

인간관계를 계산하지 마라

라면왕 이철호는 사람을 사귀는 데 있어서 빈부귀천을 가리지 않았다. 그 때문에 때론 심각한 불이익을 당할 때도 있었지만, '인간관계에 있어서는 절대 계산하지 않는다', '상대에게 뭔가를 바라기 시작하는 순간 그 인간관계에는 무거운 짐이 얹혀진다'는 그만의 철학은, 나중에 비즈니스를 할 때 주위에 많은 협조자를 두게 되는 비결이 된다.

구사일생
노르매시는 철호의 생명을 구하는 데 중요한 역할을 했다.
철호는 그곳에서 아치가 되어 새로운 삶을 시작했다.

출발 전
노르웨이로 떠나기 전
고향 마을에서 찍은 사진.

노르웨이 도착
17세의 철호가 노르웨이에 도착했
을 때, 그의 이야기는 수많은 노르
웨이 일간지를 장식했다.

새로운 인연

23세의 미군 상병 올라프 알베르트 카르스와 소년 이철호의 만남.

1950년대 초, 카르스는 이 사진 뒷면에 다음처럼 장난 섞인 말을 적어 자신의 아버지에게 보냈다.

"아이가 생겼어요, 아버지. 잘생겼죠? 이 사진은 노르웨이 의료진에게 여섯 번째 수술을 받기 직전에 찍은 겁니다. 여기서 돈이 제일 많이 드는 환자예요. 우리가 낸 세금이 어디에 쓰이는지 이제 알것 같아요. 감사합니다, 아버지."

PART 2
노르웨이에서
터를 닦기까지

Never ever
give up !!

M. Lee

더러운 일도 웃으며

출발하기 위해 위대해질 필요는 없지만,
위대해지려면 출발부터 해야 한다.

— 레스 브라운, 미국의 프로연설가 겸 작가

노르웨이 정착 초기에는 먹는 게 늘 부실했다. 누가 샌드위치라도 좀 나눠주면 그날이 내 생일이었다. 제대로 된 음식을 차려 먹을 형편도 아니었고 시간도 없었다. 궁리 끝에 유통기한이 지난 빵을 사 먹기로 했다. 대부분의 빵집이 이삼일 지난 빵을 가축사료용으로 헐값에 팔고 있었다. 그 굳은 빵조차 마지막 자존심 때문에 자취방 할머니가 잠드신 후에야 물에 불려 먹었다. 하루 온종일 식사라고는 밤중에 먹는 그 빵죽 한끼가 전부였다.

●● 변기물로 갈증 해소

도쿄에서는 셸 홀테Kjell Holthe라고 하는 노르웨이 사람이 아치를 기다리고 있었다. 홀테는 원래 한국에서 연락장교를 하다가 일본으로 파견 나와 있는 중이었다. 그는 쉬나이더의 부탁을 받고 공항에서 이름 모를 소년을 기다리고 있었다. 어떤 이를 만나게 될지 짐작도 못하고 있던 그는 아치를 보자 놀라지 않을 수 없었다. 거지 같은 몰골로 다리를 절고 있을 뿐만 아니라, 술 냄새까지 진동했기 때문이다.

"무슨 일이 있었니? 몸이 불편해 보이는구나."

홀테는 혼자 힘으로 공항 터미널을 걸을 수 없을 정도로 비틀거리는 아치를 부축하며 물었다. 아치는 그간 있었던 일을 다 이야기했다. 여관에서 작별 파티를 하며 멋모르고 술을 마시다가 고주망태가 되었고, 친구라고 믿었던 이들이 간밤에 모든 것을 가지고 달아났으며, 군사공항까지 힘들게 와서는 비행기 탑승을 제지당했던 사연을 다 늘어놓자 쏟아지는 눈물을 참을 수가 없었다.

"자, 진정해라. 이제 일본에 잘 도착했으니 걱정할 것 없어. 이제는 내가 너를 책임지고 보살펴주마."

그들은 함께 검은 승용차에 올랐다. 홀테는 기사에게 양복점으로 가달라고 부탁한 뒤 아치에게 고급 양복을 맞춰주었고, 새 신발도 사주었다. 아치에게는 난생처음 해보는 경험이었다.

차로 이동하며 아치는 창밖을 내다보았다. 눈에 들어오는 것은 단 하나도 놓치지 않고 기억하고 싶었다. 얼마쯤 지났을까, 그들은 도쿄의 일류 호텔인 스키치에 당도했다. 호텔의 출입구는 최고급 대리석과 거울로 장식돼 있었고, 그러한 풍경을 본 아치는 이곳이 천국은 아닐까 하고 생각했다. 꿈에서도 본 적이 없는 모습이었다.

아치는 학교에서 배웠던 일본어를 사용해 근처에 서 있던 한 남자에게 화장실이 어디냐고 물었다. 남자는 한쪽 방향을 가리켰고, 아치는 그가 가리킨 방향으로 가서 화장실을 찾았다. 화장실에 들어서자 잘못 찾아온 것은 아닌가 하는 착각마저 들었다. 사방은 대리석으로 둘러싸여 있었고, 커다란 도자기 같은 웅덩이가 나란히 줄지어 작은 방 안에 하나씩 들어가 있었다.

아치는 그 작은 방 안에 들어가 벽에 붙어 있는, 도자기처럼 생긴 커다란 그릇 앞에 무릎을 꿇고 앉았다. 그 안에 맑은 물이 들어 있는 것이, 언젠가 산에서 보았던 약수대와 비슷한 모습이었다. 아치는 그때의 기억을 떠올려, 물을 마실 만한 컵을 찾아 두리번거렸다. 컵을 찾을 수 없자 몸을 굽히고 손을 사용해 물을 실컷 떠 마셨다. 그러자 볼일이 더 급해졌다. 그런데 그 어디에도 볼일을 볼 수 있는 공간을 찾을 수가 없었다. 당황한 아치는 다시 호텔 로비로 가서 화장실이 어디 있는지 물었다. 그러자 로비에 있던 직원도 아까 그 남자와 같은 방향을 가리켰다.

"제가 잘못 알아들은 것 같네요. 화장실이 어디에 있는지 다시 말씀해주시겠어요?"

직원은 다시 같은 방향을 가리켰다. 아치는 고개를 갸웃거리며 왔던 길을 되돌아가 조금 전의 그 방을 다시 둘러보았다. 자세히 보니 도자기 옆에 작은 손잡이 같은 것이 달려 있었다. 아치는 호기심에 그 손잡이를 눌러보았다. 그러자 갑자기 우르르 소리를 내며 웅덩이 안에서 물이 사라졌다가 다시 채워졌다. 큰 소리에 깜짝 놀란 아치는 문 쪽으로 줄행랑을 쳤다.

'여긴 정말 위험한 곳이야. 내가 어디 방에 갇히기라도 한다면, 아… 생각만 해도 끔찍해!'

한 번도 본 적 없는 문명에 놀란 아치가 앞으로 배워야 할 것들은 한두 가지가 아니었다.

◖◗ 노르웨이 최초의 한국인

1954년 4월 첫날, 마침내 아치는 기다리던 소식을 들을 수 있었다. 올라프 카르스 상병도 일본에 도착했고, 모든 서류 작업은 끝났으며, 이제 노르웨이로 떠나기만 하면 된다는 것이었다.

미군전용 비행기를 타고 홍콩과 방콕을 거쳐 1954년 4월 4일 일요일, 아치는 마침내 노르웨이에 도착했다. 당시 탑승할 예정이었던 스칸디나비아 에어라인이 동맹파업을 하는 바람에, 그들은 코펜하겐에서 오슬로까지 '올라브 왕'이라는 덴마크 페리를 이용해야 했다. 아치는 바다를 건너는 페리를 난생처음 타보았다. 비행기보다 배를 타는 게 훨씬 힘들었지만 목적지인 오슬로에 곧 도착할 것이라는 기대감에 뱃멀미는 아무것도 아닌 것처럼 느껴졌다. 하지만 오슬로에 도착한 아치는 그곳도 중간 기착지가 아닌가 하는 생각이 들었다. 오슬로는 기대와 달리 다소 누추하기까지 했던 것이다.

아치의 눈에 비친 오슬로는 도시라기보다는 초라한 시골 동네 같았다. 사람들은 한 번도 본 적 없는 이상한 바지와 두꺼운 양말, 그리고 쌀자루 같은 원색의 외투를 입고 다녔다. 그것이 '아노락'이라 불리는 모자 달린 방한용 외투라는 것을 아치가 알 턱이 없었다. 아노락을 입고 있는 사람들은 끝이 뾰족한 작대기를 양손에 쥐고, 길쭉한 나무 판자를 신발 삼아 걷고 있었다. 그것이 스키라는 것도 한참이 지난 후에야 알게 되었다. 4월의 오슬로의 길거리에 스키를 타는 사람이 있다니, 아치에게는 다소 충격적인 광경이었다. 중간에 들렀던 도쿄, 홍콩 등의 도시와 비교했을 때 그곳은 자그마한 시골에 불과해 보였다.

　개인적으로 모아두었던 돈까지 써가며 아치를 노르웨이에 데려온 상병 카르스의 이야기는 곧 노르웨이 주요 일간지를 장식했다. 〈아프텐포스텐Aftenposten〉, 〈모르겐포스텐Morgenposten〉, 〈베르겐스 티엔데 Bergens Tidende〉 등의 주요 언론은 물론, 노르웨이 뉴스 에이전시에서는 아치의 일거수일투족을 뉴스로 다루었다.

　'오슬로 소년이 데려온 부상 한국 소년, 드디어 치료를 받게 되다'

　'칠흑처럼 검은 머리, 마호가니를 연상케 하는 짙은 갈색 눈동자'

　사람들은 아치의 외모부터 그가 하는 행동, 말까지 모든 것에 관심을 가졌다. 어떤 신문에서는 아치가 노르웨이 특유의 음식인 딱딱하고 납작한 빵과 살라미를 맛본 이야기까지 뉴스화했다.

　아치는 오슬로에서 가장 이국적인 아이콘이 되었다. 그도 그럴 것이, 사상 처음으로 노르웨이에 발을 들여놓은 한국인이 아닌가! 그의 입국을 둘러싼 미디어의 관심은 커져만 갔고, 길을 걸을 때면 사람들은 발길을 멈추고 그를 돌아다봤다. 웃으며 인사를 건네고, 어떤 사람은 아치의 검은 머리카락이 신기한지 만져봐도 되겠냐고 물어오기까지 했다.

아치는 입국 후 얼마간은 오슬로 동역에 위치한 바이킹 호텔에 머물렀다. 저녁이면 호텔은 여기저기서 몰려온 낯선 사람들로 북적댔고, 그들은 한결같이 아치가 이해하지 못하는 언어로 대화를 나누었다. 아치는 그들의 말을 잘 들어보려 애썼다. 그러던 와중에 '퓌 판'이라는 말이 귀에 꽂혔다. 이전에는 한 번도 들어본 적 없는 그 말과 억양이, 아치의 귀에는 마치 음악선율처럼 다가왔다. 그는 들었던 말을 흉내 내느라 몇 번이나 '퓌 판, 퓌 판' 하고 중얼거려보았다.

로비에 있는 여직원과 영어로 몇 마디 대화를 나누고 있을 때, 갑자기 그 말이 떠오른 아치는 아주 자랑스럽게 '퓌 판' 하고 이야기했다. 그가 처음으로 내뱉은 노르웨이어였다.

"오, 그런 말은 하면 안 돼요! 그건 욕이에요. 절대 큰 소리로 이야기하면 안 돼요. 예의에 어긋난다고요."

여직원은 깜짝 놀라 아치에게 주의를 주었다. 아치는 당황스럽고 부끄러워 아무도 들을 수 없게 '퓌 판…' 하고 속으로 중얼거렸다.

⬤ 새로운 이름 아투르

며칠 후 아치는 성모마리아병원에 잠시 입원했다가, 곧 국립병원의 수술부로 옮겨졌다. 그곳에서 한국의 노르매시에서부터 인연을 이어

온 의사, 베른하르드 페우스에게 수술을 받게 되어 있었다. 의료진들은 아치를 치료하는 데 온 힘을 다했다. 아치는 여태까지 경험해본 적이 없는 많은 사람의 관심이 달갑게 느껴졌다.

어느 날, 한 젊은 여인이 손수레를 끌고 복도를 걸어왔다. 그 손수레에는 그녀가 팔던 책과 잡지, 초콜릿과 사탕 등이 가득했다. 아치는 그녀를 낸시 이모라고 불렀다.

'낸시 이모는 오슬로를 통틀어 가장 친절한 사람인 것 같아.'

그녀는 매일 병원에 올 때마다 아치의 침대 난간에 앉아 그에게 노르웨이어를 가르쳐주곤 했다. 날마다 새로운 단어를 가르쳐줬을 뿐만 아니라 작은 노트와 필기구도 주면서 아치가 그날그날 배운 것을 복습할 수 있도록 도와주었다. 의료진은 아치가 알아듣기 쉽도록 영어로 이야기했지만, 새로운 말을 배우고 싶어 하던 아치는 그런 사실이 영 못마땅했다. 말은 써봐야 느는데, 익힌 말을 사용할 기회가 통 없었기 때문이다. 그러한 불만을 낸시에게 털어놓자, 그녀는 노르웨이 통신학교에 대해 알려주었다.

아치는 곧바로 통신학교에 등록해 노르웨이어를 제대로 배우기 시작했다. 그 후로도 낸시는 시간이 날 때마다 아치의 숙제를 봐주며 그에게 도움을 주었다. 의료진들은 그런 아치의 열정에 감탄하여, 그와 대화할 때는 단어마다 끊어서 천천히, 또박또박 발음했다. 그리고 아치에게 '아투르'라는 이름도 지어주었다. 그때부터 사람들은 그를 아투르라 부르기 시작했다.

그로부터 몇 달이 흘렀다. 그 사이 아투르에게는 끊임없는 검사와 몇 번의 수술이 지나갔다. 통신학교에 다녀오는 것을 제외하고는, 숙제를 하고 간호사와 대화를 나누는 것으로 대부분의 시간을 보냈기에, 그 사이 아투르의 노르웨이어 실력은 눈에 띄게 좋아졌다. 결국 3개월 후 치른 언어시험에서 우수한 성적을 거둘 수 있었다. 그가 노르웨이에서 첫 번째로 받은 평가였다. 아투르는 결과에 만족했고, 성적표를 중요한 문서들과 함께 보관해뒀다.

하지만 날로 늘어가는 노르웨이어 실력과는 달리 아투르의 건강은 그다지 좋아지지 않았다. 아투르의 다리의 염증은 심각했다. 뼛속까지 균이 침투해 대퇴골이 거의 썩어 문드러질 지경에 이르렀던 것이다. 때문에 여름 내내 그는 두 발로 걸어 다닐 수 없을 정도였고, 결국 지팡이를 짚고 절뚝거리며 다니는 수밖에 없었다. 아투르는 비록 발을 뗄 때마다 극심한 통증에 시달렸지만, 될 수 있으면 걷는 운동을 많이 하라는 의료진의 조언에, 포기하지 않고 힘을 냈다. 매일 조금씩이라도 빼놓지 않고 운동을 한 덕분에 아투르의 다리 근육은 차츰 회복되기 시작했다. 통증은 여전히 심했지만 차츰 지팡이를 사용하지 않고 걸을 수 있을 정도가 되었다.

올라프 카르스는 아투르를 만나기 위해 병원을 자주 찾았다. 아투르가 국립병원을 퇴원할 때가 되자, 그는 자기 어머니 집에 아투르를 위한 작은 방을 하나 마련해주었다. 올라프 카르스의 어머니는 함메르스타 거리에 있는 커다란 아파트식 건물에 홀로 살고 있었다. 아투르는 비록 작은 방 한 칸이었지만 자기만의 공간을 가질 수 있어 행복했다.

◉◉ 미천한 일도 웃으며 한다

　시간이 지날수록 아투르의 건강은 조금씩 회복되었고, 그는 이제 당장 생계를 위해 일을 해야만 했다. 그즈음 아투르에게는 노르웨이의 어머니나 다름없는 아스트리 스코브셋Astrid Skovseth이라고 하는 여인이 있었다. 그녀는 아투르에게 후원을 아끼지 않았고, 그런 아투르에게 그녀는 남다른 의미를 지닐 수밖에 없었다. 때마침 스코브셋 부인은 카밀라 콜렛거리 15번지에 자리한 CC15 호텔의 벨보이 자리를 그에게 구해주었다. 아투르는 황토색 재킷과 갈색 바지, 그리고 스코브셋 부인이 직접 수를 놓은 모자까지, 자신의 유니폼을 매우 자랑스러워했다. 날마다 유니폼을 세탁하고 다림질하는 데 정성을 쏟았다.

　얼마 후 스코브셋 부인은 아투르에게 자전거를 사줬다. 아투르는 그 자전거로 호텔의 우편물을 직접 배송할 수도 있게 되었다. 호텔에서는 숙박하는 손님들의 신상명세를 매일 경찰서로 배송해야 했는데, 그 일을 아투르가 도맡아 한 것이다. 뿐만 아니라 아커스 거리에서 일간지를 가져오는 일도 했으며, 우체국과 관련된 심부름은 책임지고 맡았다. 특히 여름 성수기에는 손님들이 로비 데스크에 두고 간 우편엽서들이 한가득이었는데, 아투르는 이 엽서들이 당일에 잘 배달될 수 있도록 신속하게 움직였다. 그는 호텔에서 매일 새로운 사람들을 만났고, 시내로 우편물 심부름을 나갈 때에는 시내 구석구석의 새로운 길을 눈에 익혔다.

1954년 10월, 〈비 멘Vi Menn〉이라는 잡지에 CC15 호텔에서 벨보이로 일하는 아투르에 대한 특집기사가 실렸다. 그 인터뷰에는 노르웨이에 와서 겪은 일 중 가장 이상하게 느껴졌던 것이 무엇인지 묻는 항목이 있었다.

"이상한 거요? 길을 가던 사람들이 발길을 멈추고 신기한 눈초리로 저를 돌아보는 게 제일 이상했어요."

아투르는 인터뷰를 통해 지금 하고 있는 일이 얼마나 즐겁고 만족스러운지 밝혔다. 청소를 하면서도 노래를 부르고, 항상 웃음 가득한 얼굴로 심부름을 다녔으며, 손님들의 차문을 닫아줄 때면 항상 깊숙이 머리를 숙여 인사를 하곤 했다. 그렇게 잡다하고 다양한 일을 도맡아 하면서도 즐거워했지만, 그중에서도 가장 좋아하는 일은 따로 있었다. 바로 호텔 식당에서 잔일을 할 때 가장 신났던 것이다. 그의 앞날에 대한 생각은 어쩌면 이때부터 무의식 속에 자리잡기 시작했는지 모를 일이다.

하지만 날마다 좋은 일만 있었던 것은 아니다. 아투르는 여느 때와 다름없이 〈아프텐포스텐〉의 일간지를 가져오는 중이었다. 내리막길에서 자전거를 타고 전속력으로 내려오던 그는, 마침 급히 길을 가던 세 명의 여인들과 정면으로 마주쳤다. 브레이크를 밟을 겨를도 없이 사고가 나고 말았다. 가지고 가던 신문은 길에 흩뿌려졌고, 자전거도 성한 곳 하나 없이 망가지고 말았다. 이 일로 그는 호텔 벨보이 자리에서 쫓겨날 지경에 이르게 되었다. 나중에 알게 된 일이지만, 사고를 당한 세 명의 여인은 당시 매우 유명했던 배우들이었다. 그중 한 명은 아스팔트에 머리를 찧는 바람에 뇌진탕으로 병원에 입원했고, 아투르도 응급실에 실려갔다.

몇 달 후, 그는 호텔 일을 그만두었다. 그리고 1954년 11월, 국민극장의 임시직 자리를 얻게 되었다. 당시에는 〈8월의 찻집〉이라는 코미디극이 상영 중이었다. 극은 일본에서 서구식 학교를 짓고 일본인들에게 민주주의가 무엇인지를 가르치는 미군에 대한 이야기를 다루고 있었다. 이는 이미 런던과 뉴욕에서 큰 성공을 거두었을 뿐만 아니라, 일본을 점령한 미국인들을 웃음의 소재로 삼았기 때문에 대중의 관심을 끌어모으기에 충분했다. 여기서 아투르는 단역으로, 염소를 끌고 무대 위를 지나가는 일본인 소년 역할을 맡았다.(97페이지 사진 참조)

염소는 극장에 공연이 없는 날이면 시청 옆에 위치한 동물병원에서 생활했다. 아투르는 염소를 아주 능숙하게 다루었고, 염소도 아투르를 잘 따랐다. 그래서 결국 염소가 동물병원과 국민극장을 오갈 때마다 염소를 보호하는 임무까지 맡게 되었다.

검은 머리의 동양인 소년이 염소를 끌고 시내 한복판을 지나는 모습은 쉽게 볼 수 있는 풍경이 아니었다. 때문에 길을 걷던 사람들 중 열이면 열, 모두 가던 길을 멈추고 그 모습을 구경했다. 동네 아이들은 구경하는 데 그치지 않고 그 뒤를 졸졸 따르며 귀찮게 하기 일쑤였다. 아투르는 그만두고 싶었던 적이 한두 번이 아니었지만, 극이 끝날 때까지는 좋든 싫든 일을 계속해야만 했다. 그리고 총 50회의 극이 막을 내리면 일을 계속하고 싶더라도 새 일자리를 찾을 수밖에 없었다.

나는 직접 일자리를 찾아 돌아다녔다. 아무 데고 닥치는 대로 들어가 "나를 좀 써주세요."라고 부탁했다. 그렇게 하다 구한 일이 사무실 심부름꾼, 동물병원 잡역부, 연극무대 단역배우 등이었다. 그러나 무엇보다 기억에 남는 건 재래식 화장실에서 청소부로 일했던 기억이다. 그 당시에는 노르웨이도 전 지역이 재래식 화장실이었다.

◉◉ 부끄러운 일은 없어

호텔에서 벨보이로 일을 하면서 시내 곳곳의 지리를 잘 익혀둔 덕에, 아투르는 아케르 거리 55번지에서 날마다 일용직 자리를 배분한다는 것을 알고 있었다. 단역배우와 염소보호자로서의 짧은 임무를 마친 아투르는 생계를 위해 당장 일용직이라도 얻어야만 했다. 새벽 인력시장에 얼굴을 내민 지 첫 주에 여러 곳에서 일을 하러 와도 좋다는 통보를 받았다. 대부분은 하루 두세 시간짜리 일거리였지만, 운이 좋은 날엔 다섯 시간짜리 일도 맡을 수 있었다.

아투르는 그날 어떤 일을 하게 될지 전혀 알지 못한 채 매일 새벽마다 아케르 거리 55번지로 출근을 했다. 어떤 날은 일이 주어지지 않기도 했지만, 항상 긍정적인 마음가짐으로 꼬박꼬박 얼굴도장을 찍었다. 아투르는 평소 실패를 두려워하지 않았고, 어떤 어려움이 닥쳐도 열심히 노력하면 이겨낼 수 있다는 마인드를 가지고 있었다. 항상 일이 잘 돌아가는 것은 아니었지만, 반대로 모든 상황이 절망적으로 돌아가라는 법도 없었다. 그러니 오늘 일거리가 없으면 내일 다시 와서 찾으면 될 일이었다.

새벽에 도착하면 일단 자신의 이름을 기록하고 그 이름이 불리기를 기다렸다. 그날도 누군가 자신을 필요로 하길 바라며 기다리고 있던 아투르는 '화장실 위생설계사'의 보조자 명분으로 일을 하게 되었다. 그게 어떤 일을 말하는지 전혀 감을 잡을 수 없었지만, 아투르는 아무 말도 하지 않고 그저 맡은 일을 하기 위해 묵묵히 일행을 따라갔다.

때가 되면 무슨 일을 하게 될지 알 수 있으리라 생각한 그는, 길을 따라 늘어서 있는 건물들의 뒷문을 사용해 안으로 들어갔다. 어떤 건물에는 화장실이 지하에 있었고, 또 다른 건물엔 계단과 계단 사이에 있었다. 대부분 건물 전체가 함께 사용하는 공용 화장실이었다. 아투르는 그날부터 화장실의 오물을 모아놓은 통을 비우고 청소하는 일을 맡았다. 주의해야 할 점은 일을 시작하기 전에 작대기로 통을 두드려 건물 내의 사람들에게 신호를 보내야 한다는 것이었다. 아투르가 통을 비우는 동안 사람들이 볼일을 봐서는 안 되기 때문이었다.

어느 정도 손에 익자, 아투르는 일을 번개처럼 재빠르게 해치웠다. 그리고 일을 하는 과정 중에 가장 더러운 일은 바로 보조자인 자신의 몫이라는 것도 깨달았다.

"최선을 다해 정직하게 해낼 수만 있다면, 이 세상에 부끄럽고 혐오스러운 일은 하나도 없다."

처음에는 그 일이 참을 수 없을 정도로 더럽고 혐오스럽다고 생각했지만, 예전에 아버지가 해주셨던 말씀을 떠올리며 이내 마음을 고쳐먹었다.

'손에 묻은 건 깨끗하게 씻어내면 그만이지 뭐.'

아투르는 다시 한 번 아버지의 말씀을 되새겼다.

아투르가 일을 하는 동안 나이 많은 동료는 문 밖에서 기다리고 있었다. 건장한 체격의 그는 커다란 열쇠 꾸러미를 들고 일을 끝낸 화장실의 문을 잠그는 역할을 했다. 언뜻 보아도 열쇠가 50~60개는 달려 있는 것 같았다.

'여기 사람들은 마치 금덩이로 만들기라도 한 것처럼 화장실을 애지중지하는군.'

아투르는 그 열쇠 꾸러미를 보고 실소를 금치 못했다. 한국에서는 아무도 화장실을 잠가놓지 않는다. 하지만 이 나라에서는 화장실을 잠그는 것이 일반적인 것 같았다.

3~4층에서 볼일을 보면, 잠시 후 저 밑에서 요란한 철퍼덕 소리가 나는 재래식 화장실에서 청소부는 그 용변 양동이를 꺼내 치우는 일을 했다. 처음에는 고약한 냄새 때문에 미쳐버릴 것 같았다. 그런데 한 1년쯤 그 일을 하고 나니 신기하게도 그 냄새가 그리 역겹지 않았다. 오히려 구수하게까지 느껴졌다.

아투르는 힘이 닿는 대로 많은 일을 해냈지만, 넉넉하게 생활하기에 그가 버는 돈은 턱없이 부족했다. 월세를 내고 이런저런 세금을 내고 나면 수중에 남는 돈은 얼마 되지 않았다. 그 얼마 되지 않는 돈으로 한 달 생활을 꾸리려니 먹는 것부터 형편없었다.

아투르의 집 근처에는 빵집이 하나 있었는데 그곳에서는 유통기한이 지난 식빵을 상자에 가득 담아 가축사료용으로 아주 싼 값에 팔곤 했다. 빵은 말라 비틀어져 딱딱하기 그지없었다.

"괜찮아요. 공원에 있는 새들에게 먹이로 줄 거거든요."

아투르는 차마 자신이 먹는다는 말은 하지 못하고, 이런저런 핑계를 대서 그 빵을 사가지고 왔다. 그는 빵을 집으로 가지고 와, 싱크대 밑에 놓아두고 저녁이 되길 기다렸다. 그리고 집주인이 잠자리에 들면 살금살금 부엌으로 가서 뜨거운 물을 받아왔다. 방으로 돌아온 그는 그 뜨거운 물에 딱딱한 빵 조각을 넣어 불려 먹었다. 아투르는 대부분의 끼니를 그렇게 때웠고, 아무도 공원의 새들 대신 아투르가 그 딱딱한 빵을 먹는다는 사실을 알지 못했다.

언어는 자꾸 써봐야 는다

라면왕 이철호는 노르웨이라는 완전히 낯선 나라에서도, 적극성을 발휘하여 노르웨이어를 스스로 배워 깨치려는 노력에 온 힘을 기울였다. 새로운 환경에 빠르게 적응하고 싶었던 그는 '말은 써봐야 느는 것'이라며 오히려 주위 사람들이 영어로 말을 걸어주는 게 불만일 정도였다. 공부한 노르웨이어를 활용하기 위해 그는 틈만 나면 사람들에게 말을 걸었고, 매일같이 노르웨이어로 일기를 썼고, 매일같이 신문을 읽었다. 그런 적극성 덕에 그의 노르웨이어 실력은 일취월장하게 되었다.

친화력도 능력이다

라면왕 이철호는 건강이 어느 정도 회복되기 무섭게 일을 찾아 나서는 생활력을 발휘했고, 평소 친화력을 발휘해 친해진 아주머니를 후원자로 삼아 첫 일거리를 구했다. 첫 일자리 이후에는 아무 데고 닥치는 대로 들어가 '자기를 써달라'는 식의 구직활동을 하는 무대포 정신을 발휘했다.

어떤 궂은 일도 항상 밝은 표정으로 임하라

라면왕 이철호는 청소를 하면서도 노래를 불렀고 심부름을 다닐 때도 항상 미소 가득한 얼굴로 다녔으며, 손님들을 대할 때도 항상 깍듯한 서비스 정신을 발휘하는 등 잡다한 일에도 적극적이고 긍정적인 태도로 임했다. 최선을 다해 일하기만 하면 이 세상에 부끄럽고 혐오스러운 일은 없다고 여겨, 재래식 화장실 청소부 일도 1년 남짓 해냈다.

Kosmopolitisk i Folketeatret

Til v. mater Edvina Samuelsen og koreanergutten Arthur Chu Ho Lee geita «Lady Astor» og til høyre Arne Lie som velferdsoffiser, Ola Isene som japansk tolk, og Grete Nordrå er de innfødtes gave til amerikanerén.

단역배우

1954년 가을, 국민극장에서 상연되었던 <8월의 찻집>에서 단역을 맡았던 철호의 모습. 염소 뒤에 서 있는 소년이 철호다.

적응 노력

철호는 제2의 조국이라고도 할 수 있는 노르웨이 생활방식과 문화에 적응하기 위해 노력했다. 그는 노르딕 패턴이 들어간 스웨터를 입기도 했고, 홀멘콜렌에서 스키를 타기도 했다. 하지만 고관절이 좋지 않아 긴 스키 여행에는 참가할 수가 없었다.

혼신의 정성에 배반이란 없다

아무도 당신을 믿지 않을 때조차도 자기 자신을 굳게 믿는 것,
그것이 챔피언이 되는 길이다.

— 슈거 레이 로빈슨, 미국의 전설적인 프로복싱 챔피언

그렇게 어렵게 살면서도 고향에 계시는 부모님께 편지 쓸 때
는 생활이 어렵다거나 화장실 청소 일을 한다는 얘기는 절대
쓰지 않았다. 오직 공부를 열심히 한다는 얘기, 꼭 훌륭한 사람
이 되겠다는 얘기만 썼다. 어렵게 아르바이트를 하며 공부를
계속해나가는 생활은 이후로도 꽤 오랫동안 계속되었다.

●● 영양실조 걸린 미래

먹고사는 일에 바쁜 와중에도 아투르는 미래에 대해 끊임없이 고민
했다. 전처럼 다시 구두 닦는 일을 시작해볼까 하는 생각도 해보았다.
시내를 한 바퀴만 돌아도 노르웨이 사람들의 신발이 얼마나 지저분한

지 단박에 알 수 있었다. 그 사람들이 모두 한 달에 한 번씩만 구두를 닦아 달라고 하면 많은 돈을 벌 수 있을 것 같았다. 칼 요한 거리에 있는 그랜드 호텔 맞은편에 구두를 닦는 노인이 한 명 있었지만, 노인 혼자서 오슬로 시내를 오가는 손님들의 구두를 모두 닦아내기엔 무리가 있어 보였다. 아투르는 그 노인을 상대로 경쟁업체를 만들어도 승산이 있을 것이라는 생각이 들었다.

그는 자신의 이런 고민을 주변 사람들에게 털어놓았다. 대부분의 사람들은 그의 말에 동의했지만 거리에서 사업을 시작하려면, 규모가 크든 작든 면허증이 필요했다. 게다가 면허증을 받으려면 학력과 경력을 증명해야 했다. 대학 졸업장까지는 아닐지라도 고등학교 이상의 졸업 증명은 해야만 했던 것이다. 아투르는 고민한 보람도 없이 구두 닦이를 하려던 생각을 내려놓아야 했다.

노르웨이 생활을 막 시작했을 때, 내 최고의 목표는 구두닦이였다. 그 당시 내가 가진 기술이라곤 한국의 전쟁통에서 구두를 닦아본 일 밖에 없었으니까. 하지만 노르웨이에서는 구두 닦이조차 면허증이 있어야 했다.

대신에 그에게는 새로운 목표가 생겼다. 하고 싶은 일을 하기 위해 기본적으로 쌓아야 할 것들이 있다는 것을 깨달은 그는 그 기본을 쌓기로 했다. 우선 노르웨이어를 유창하게 할 수 있을 만큼 공부하는 것이 최우선 과제였다. 1954년 가을, 노르웨이 통신학교에서 노르웨이어 과정을 이수했고, 동시에 에우베르츠Auberts 학교에서 고등학교 준비과정을 개인지도 받았다.

아투르는 매우 부지런했다. 공부한 노르웨이어를 실제로 사용하기 위해 틈만 나면 사람들에게 말을 걸었다. 매일같이 신문을 읽었고, 노르웨이어로 일기를 쓰기도 했다. 그렇게 그의 노르웨이어 실력은 날로 향상됐다.

아투르는 한국에서 국민학교밖에 졸업하지 못했다. 하지만 공부에 대한 열의는 누구보다 뛰어났다. 1956년 봄, 그는 방Wang 상업학교에 진학했다. 자취방 월세를 지불하기 위해, 공부를 하는 동안에도 여기저기서 아르바이트를 해야 했기 때문에 그에게는 너무도 힘겨운 나날들이었다. 매일 늦은 밤까지 공부를 하며 하루 한 끼 물에 불린 빵으로 허기를 채웠고, 잠은 하루에 서너 시간을 자는 것이 전부였다. 결코 오래 지속될 수 없는 생활이었다.

그러던 어느 날, 언제나처럼 수업을 듣는 도중에, 아투르는 선생님의 목소리가 점점 멀어짐을 느꼈다. 그는 갑자기 자리에서 벌떡 일어나 그 자리에 잠시 꼼짝 않고 서 있다가 바닥으로 풀썩 쓰러져버렸다. 몸에서 이상신호를 보내온 것이다. 선생님은 의식을 잃은 아투르를 깨워보려고 온갖 수단과 방법을 동원해봤지만 역부족이었다. 곧 구급차가 학교로 달려왔고, 아투르는 응급실로 옮겨졌다.

의사는 조그마한 손전등으로 아투르의 눈동자를 살펴본 뒤, 그에게 최근에 무엇을 먹고 지냈는지 물어보았다. 아투르는 가끔 닭고기 스튜와 야채수프를 먹었으며, 대부분은 고기와 감자로 끼니를 때운다고 대답했다. 하지만 의사는 아투르의 말을 믿지 않았다. 그가 거짓말을 하고 있다는 것을 단번에 알아차린 의사는, 아투르에게 비타민과 영양제 한 통을 주면서 건강이 회복될 때까지 하루 열 알씩 복용하라고 일러주었다. 아투르는 집으로 돌아와 한동안은 의사가 시키는 대로 한 줌의 알약을 매일 복용했다. 얼마 지나지 않아 그는 생기를 되찾을 수 있었다. 그리고 하루에 열 알씩 복용하던 알약도 차츰 양을 줄여나 갔다. 건강이 회복되니 집중력도 향상되었다. 그는 수업시간에 선생님 이 하시는 말씀을 하나도 빼놓지 않고 귀담아들었다.

그해 7월 말, 아투르는 방 상업학교를 졸업해 성적증명서를 받을 수 있게 되었다. 그는 전과목에 합격했고 특히 회계와 상업 과목에서 우수한 성적을 거두었다. 교장은 추천서에 '아투르는 모든 과목에 열심을 다하는 부지런한 학생'이라고 표현하기도 했다.

당시 그의 관심을 차지했던 것은 학업만이 아니었다. 그는 상업학교를 다니면서 난생처음 학급 여자친구와 사랑에 빠졌다. 그 여자친구의 이름은 엘리자베스. 가끔 숙제를 함께하며 도움을 받던 아투르는 그녀에게 연정을 느끼기 시작했다. 엘리자베스도 아투르에게 꽤 관심을 보였다. 심지어는 그녀의 하숙집으로 아투르를 가끔 초대하기도 했다. 커피와 갓 구운 빵을 함께 먹으며 그들은 소파에 나란히 앉아 이야기를 나누었다. 그녀는 아투르에게 과분할 정도로 아름다웠으며, 똑똑하고 생기에 넘치는 소녀였다.

어느 날, 엘리자베스는 자신의 부모님이 하델란에서 올 예정이라고 말했다. 그녀는 이 기회에 아투르를 부모님들께 소개하고 싶어 했다. 며칠 후 번쩍번쩍 빛나는 검은 메르세데스 승용차가 학교 앞에 나타났다. 차문이 열리자 고상하고 세련된 옷차림의 부부 한 쌍이 모습을 드러냈다. 엘리자베스는 그들에게 뛰어가 포옹을 한 뒤 잠시 몇 마디를 나누었다. 그리고는 정문 옆에서 기다리고 있던 아투르를 향해 자기 쪽으로 오라며 손짓을 했다. 아투르는 최대한 예의를 갖추어 그녀의 부모님에게 인사를 했다.

그것이 엘리자베스와의 마지막 만남이었다. 그녀는 다음 날부터 학교에 나타나지 않았다. 그리고 아투르가 졸업할 때까지도 그녀는 학교에 나오지 않았다. 그로부터 몇 년의 세월이 흐른 후, 아투르는 시내의 한 상점 앞에서 우연히 그녀와 마주쳤다. 아투르를 발견한 그녀는 걸음을 멈추고 울음을 터뜨렸다. 아투르를 본 그녀의 부모님들은 그 날로 당장 엘리자베스에게 학교를 옮기라고 했고, 그녀를 집으로 데려갔기 때문에 그녀는 아투르에게 작별 인사도 없이 떠나야만 했던 것이다.

상업학교에서 공부를 마치기도 전에 아투르는, 구두를 닦는 일에 평생을 바칠 수는 없다고 생각했다.

"한번 돈맛을 보면 다시 학교로 돌아가 공부하기가 쉽지 않다. 공부에도 다 때가 있는 법이야. 돈을 주고 산 것은 언제든지 잃어버릴 수 있지만, 공부를 해서 머릿속에 집어넣어둔 것은 아무도 훔쳐갈 수 없는 거란다."

아투르의 아버지는 늘 이렇게 이야기하곤 했다. 아버지의 말을 떠올리며 아투르는 구두닦이로 성공하려던 꿈을 접고 학업을 계속했다. 그러면서 앞으로 무엇을 하며 먹고살아야 할지 다시 고민에 빠졌다.

◉◉ 굶주림을 피해 선택한 일

몇몇 친구들은 대학에 진학해 '사회경제학'을 공부할 생각이라고 했다. 아투르는 사회경제학이라는 말이 정확히 무엇을 의미하는지 잘 몰랐지만 꽤 그럴듯하게 들렸다. 그러다가 우연한 기회에 정부통계국에서 여름휴가 기간 동안 아르바이트생을 구한다는 광고를 접하게 되었다. 아투르는 바로 이력서를 써냈고, 며칠 후 면접을 보러 오라는 연락을 받았다. 정갈하게 차려입고 면접장소로 향한 그는 '아투르 리'라고 자신을 소개하며 손을 내밀었다. 면접관은 가만히 서서 그를 바라보고만 있었다.

"노르웨이 사람인 줄 알았는데, 아니군요."

아투르는 자신이 한국에서 태어났으며 현재 노르웨이에서 공부를 하고 있는 학생이라고 답했다. 그리고 언젠가는 노르웨이 시민권자가 될 수 있으리라 희망한다는 말도 덧붙였다. 하지만 면접관은 면접 자체를 아예 중지하고 아투르에게 돌아가라고 말했다. 이유를 설명해달라는 아투르에게 그는 정부통계국이 매우 기밀한 국가정보를 다루는 곳이기에 외국인에게 일자리를 줄 수 없다는 말을 들려줬다.

'대학에 가서 아무리 열심히 공부한들, 내 피부색 때문에 요직을 맡을 수 없다면 공부가 다 무슨 소용일까?'

아투르는 이 일로 생각을 고쳐먹었다. 진로를 바꾸어 찾아간 곳은 바로 포스Foss 고등학교의 언어학부였다. 배울 것은 그곳에도 많이 있었다. 아투르는 노르웨이어, 영어, 독일어, 프랑스어뿐만 아니라 라틴어까지 배웠다. 그렇게 다양한 언어를 열심히 공부하며 장래를 고민하던 그는 서비스직에 종사하는 것이 가장 좋겠다는 결론을 내렸다. 구두를 닦던 경험도 있고, 그간 어떤 하찮은 일이라도 가리지 않고 최선을 다하지 않았던가. 그리고 서비스직은 어디서나 필요하며 피부색에 연연해하지 않아도 될 것 같았다. 아무리 생각해도 자신에게 맞는 일은 서비스직이었다.

아투르는 구두닦이로서의 길과 학문적 야심을 모두 내려놓고, 요리사가 되기로 결심했다. 원래 음식 만드는 일을 좋아하기도 했지만, 요리사가 된다면 주린 배를 움켜쥐고 잠자리에 드는 일은 없으리라는 생각도 있었다. 아투르는 경제적으로 여전히 힘들었으며, 빈속으로 잠자리에 드는 일도 허다했다. 학교나 길거리에서 영양실조로 갑자기 쓰러지는 일을 몇 번 더 경험한 후, 그는 더욱 명확하게 진로를 결정했다. 요리사, 그는 요리사가 되고 싶었다.

노르웨이에서 혼자 아르바이트해 어렵게 고등학교를 마친 뒤 나는 요리직업학교를 택했다. 항상 먹고사는 것이 어려웠기 때문에, 원없이 맛있는 음식을 만드는 요리사가 되고 싶었던 것이다.

아투르는 바로 오슬로 한 중앙에 위치한 엘베바켄Elvebakken 직업 학교에 등록해 조리사 공부를 시작했다. 졸업까지의 과정은 학업과 실습을 모두 합쳐 총 4년이었다. 아투르는 운 좋게도 입학과 동시에 홀멘콜렌Holmenhollen 관광호텔에 조리견습생 자리를 얻을 수 있었다. 그곳에서 첫 번째로 맡은 임무는 설거지였다. 부엌에는 각종 조리기구와 그릇들이 산더미처럼 쌓여 매일같이 그를 기다리고 있었다. 냄비에 눌어붙은 음식찌꺼기를 긁어내는 일도 그의 차지였다. 하지만 아투르는 단 한마디의 불평도 늘어놓지 않았다. 오히려 아무도 보는 사람이 없을 때면 냄비에 눌어붙은 탄 음식을 긁어내 배를 채울 수 있어 좋기도 했다. 모든 그릇을 깨끗하게 씻은 후 제자리에 넣어두는 것도 그의 몫이었다. 아투르는 설거지에 정성을 쏟았다. 요리사들은 그런 아투르를 눈여겨보고 책임감 있게 일하는 모습에 감동했다.

어느 날, 아투르는 대표 요리사의 사무실로 오라는 전갈을 받았다. 그는 아투르에게 요리사가 되고 싶냐고 물었다.

"네, 요리사는 제 꿈입니다."

다음 날, 아투르는 싱크대가 아닌 조리대 옆으로 자리를 옮겼다. 그가 하던 설거지는 그보다 나이가 조금 어린 견습생이 맡게 되었다. 그 호텔에서 일하던 요리사들의 국적은 독일, 오스트리아, 덴마크, 프랑스, 영국 등 각양각색이었다. 하지만 거의 모든 대화는 프랑스어로 이뤄졌다. 아투르는 그들의 대화를 귀 기울여 들으며 요리에 자주 쓰이는 중요한 프랑스어부터 차례로 익혀나갔다.

　　호텔 주방에서 일하는 장점 중 하나는 굶지 않아도 된다는
것이었다. 그렇게 걱정하던 먹고사는 문제가 해결되고 내가 하
고 싶었던 요리 공부까지 할 수 있게 되자, 난 의욕이 충만하다
못해 넘칠 지경이 되었다.

　4년 후, 아투르는 마침내 직업학교의 조리사 과정을 모두 마쳤다.
그간 견습생으로 있던 호텔에서는 매우 긍정적인 추천서를 써주었으
며, 직업학교의 교장은 그에게 상으로 장학금을 지불했다. 그것은 앞
으로 조리사 공부를 본격적으로 하기 위해 사용될 돈이었다. 교장은
아투르에게 프랑스로 가서 요리 공부를 계속하라고 권했다.
　아투르는 당시 프랑스에 대해 아는 것이 하나도 없었다. 그래서 노
르웨이 주재 프랑스 대사관으로 찾아가 조언을 구하려고 마음먹었다.
대사관으로 간 아투르는 한 비서와 면담을 했다. 그는 자신을 소개한
후, 현재 4년제 조리사 과정을 마쳤으며 곧 프랑스로 건너가 언어와
프랑스식 요리법에 대해 배우고 싶다고 말했다. 비서는 프랑스에서
요리사 공부를 하는 이들의 국적은 매우 다양하기 때문에 굳이 파리
까지 가서 정확한 프랑스어를 배울 필요는 없다고 조언했다. 또 요리
사 공부를 계속하기에는 프랑스보다 오히려 세계적 수준의 고급 레스
토랑이 즐비한 스위스의 누샤텔Neuchâtel이 더 나을 것이라고 말하면서
그곳에서는 대부분의 사람이 세련된 프랑스어를 사용한다는 말도 덧

붙였다.

🌑 허드렛일에도 정성을 다한다

프랑스 대사관의 비서가 해준 조언대로 아투르는 스위스의 누샤텔에 위치한 레스토랑을 알아보다가 보리 바지Beau Rivage 관광호텔에 이력서를 냈다. 직업학교에서 받은 우수한 성적표와, 홀멘콜렌 관광호텔에서 받은 긍정적인 추천서 덕분에 그는 어렵지 않게 합격할 수 있었다. 보 리바지 호텔의 견습생이 된 것이다.

아투르는 희망에 부풀어 스위스로 향했다. 하지만 그를 기다리고 있던 것은 낯설고 무자비한 현실이었다. 4년제 조리사 학교를 졸업했다는 증명서와 추천서를 내밀었지만, 보 리바지 호텔의 대표 요리사는 코웃음만 쳤다.

"노르웨이에도 요리사가 있었나? 금시초문이군."

아투르는 또다시 허드렛일부터 시작해야 했다. 가장 먼저 해야 할 일은 감자를 깎는 것이었다. 이를 위해 다음 날 아침 7시까지 나오라는 지시가 내려졌다. 하지만 그는 반발하지 않고 평소처럼 묵묵히 책임을 다하리라 다짐했다.

'내가 감자를 어떻게 깎는지 보여주고 말 거야.'

모든 일에는 나름의 가치가 있다는 아버지의 말씀을 떠올리며 마음을 다잡았던 것이다.

그때나 지금이나 일에 대한 나의 신념은 '정성을 다하자!'는 것이다. 접시 하나를 닦을 때도, 감자 하나를 깎을 때도 나는 정성을 다하려 했고, 시키는 것 이상으로 해내고 싶었다.

다음 날 아투르는 아침 7시에 부엌으로 향했다. 곧바로 스페인에서 온 견습생과 나란히 서서 감자를 깎기 시작했다. 껍질을 깎고 다 깎은 감자는 씻기를 반복한 지 6시간, 그는 오후 1시가 돼서야 집으로 돌아가도 좋다는 말을 들었다. 1시에 일을 마치고 나머지 시간을 자유롭게 활용할 수 있다면 이보다 더 좋은 일자리는 없을 거라는 생각이 들었다. 노르웨이에서는 하루에 적어도 9시간은 일을 해야 했는데 여기서는 단 6시간만 일을 한 뒤 집에 가라 하지 않았는가.

출근 첫날이라 긴장을 했는지 몸이 조금 피곤한 것도 같았다. 하지만 그는 개의치 않고 가뿐한 마음으로 시내를 향했다. 그는 누샤텔 호숫가에 앉아 내리쬐는 햇살을 받으며 호수 위에 떠 있는 요트와 돛단배를 바라보았다. 그렇게 한가한 오후를 보낸 뒤, 아투르는 집으로 돌아갔다. 그리고 다음 날을 위해 일찍 잠자리에 들었다.

이튿날 아투르는 어김없이 아침 7시에 출근했다. 그런데 레스토랑으로 들어가려던 그를 호텔 입구의 경비원이 저지했다. 아투르가 이유를 묻자, 황당하게도 그 경비원은 아투르가 해고를 당했다고 답했다.

"분명 오해가 있을 거예요. 그럴 리가 없어요."

아투르는 어설픈 프랑스어로 중얼거렸다. 하지만 아투르가 해직을 당한 것은 이미 결정난 사안이었다. 아투르는 해직사유를 물었지만 경비원 역시 정확한 이유를 모르고 있었기 때문에 만족할 만한 답을 들을 수는 없었다.

아투르는 갑자기 하늘이 무너져 내리는 것만 같았다. 이제 무얼 해야 좋을지 막막해졌다. 아는 사람도, 갈 만한 곳도 없었고, 수중에 하루 끼니를 때울 만큼의 돈도 없었다. 호텔 직원 출입문 앞에 선 그는 하루아침에 실직자가 되었다는 사실을 믿을 수 없었다. 왜 해고를 당했는지 이유도 모른 채 쫓겨난 그는 눈앞이 캄캄해져 아무것도 할 수 없었다. 해직사유라도 알아야 속이 시원할 것 같아 그 자리에 계속 서 있기로 마음먹었다.

"책임자와 대화를 할 수 있을 때까지 여기 서 있겠습니다."

경비원에게 그렇게 말하고 얼마를 기다렸을까. 아투르는 마침내 인사 책임자의 비서와 만나 이야기를 할 수 있었다. 그는 아투르에게 출근 첫날부터 게으름을 피우는 사람을 계속 고용할 수 없다고 말했다. 이유를 듣고 나니 아투르는 더욱 어리둥절하기만 했다.

"게으르다뇨. 제가 할 일을 다 마치고 오후 1시가 되니, 소스를 담당하시는 분이 집에 가도 좋다고 하셨어요. 저는 일을 마친 후 퇴근을 했을 뿐입니다."

"그건 중간에 잠깐 있는 휴식 같은 겁니다. 오후 5시에 저녁 교대근무가 시작되는 걸 몰랐다는 게 말이나 됩니까?"

비서는 고개를 절레절레 흔들었다.

아투르에게 교대근무제에 대해 설명해준 사람은 아무도 없었다. 노르웨이에서는 대부분 이른 아침 또는 늦은 저녁, 단 한 차례만 일을 하고 퇴근을 하지 않았던가. 아투르는 그 비서에게 이러한 상황을 모를 수밖에 없었던 배경에 대해 충분히 설명하고 그를 설득하기 시작했다. 다행히 모든 오해는 풀렸고, 아투르는 다시 조리실에서 일을 할 수 있게 되었다. 그가 다시 조리실에 들어오자 소스 담당 요리사는 웃음을 터뜨렸다.

그날 이후, 아투르에게 더 이상 한가한 오후란 없었다. 매일 아침 7시에 일어나 8시부터 오후 1시까지 일을 했으며, 오후 5시부터 9시 30분까지는 저녁 근무를 했다. 그리고 중간에 비는 몇 시간은 그냥 흘려보내지 않고 프랑스어 과외를 받았다. 일주일에 단 하루, 수요일은 일을 하지 않아도 되는 날이었기 때문에 그날에는 시내 이곳저곳을 둘러보거나, 기차를 타고 이웃 도시를 구경하기도 했다.

●● 감자 하나도 남다르게 깎는다

아투르가 스위스에 마련한 거처는 초라하기 그지없었다. 그는 루바쉬랑Rue Bachelin의 한 건물 1층에 자리잡고 있는 아주 작은 공간에서 자취를 했는데, 그곳에는 작은 서랍장과 옷장 하나, 그리고 비좁은 방에 어울리지 않을 정도로 크고 낡은 침대가 있었다. 또한 낡은 침대 옆에는 작은 탁자 위에 램프 하나가 덩그러니 놓여 있었다. 그는 작은 책상 위에 타자기와 책 몇 권을 두었고, 벽에는 태극기와 한국지도, 유럽지도를 붙여두었다. 잠을 자는 일 외에는 달리 무엇을 할 만한 공간이 없었다. 일을 하지 않는 수요일에는 가끔 부족한 잠을 몰아 자기도 했다.

스위스에서 처음으로 맞이한 가을은 생각보다 훨씬 힘들었다. 끝없이 외롭고 피곤했으며 가끔은 삶에 회의를 느끼기도 했다. 매일 꼬박 12시간 동안 감자를 깎고, 음식찌꺼기를 비우는 등의 일만 하다 보니 시간이 흐를수록 배우는 것은 없고 피로만 쌓여갔다. 마치 노예처럼 느껴졌고, 평생 이렇게 살게 될까 봐 두렵기까지 했다. 하지만 아투르는 곧잘 견뎌내면서, 새로운 노력도 함께했다.

남이 그릇을 스무 개쯤 닦으면 나는 그 두 배 이상인 오십 개를 닦으려고 부지런을 떨었다. 남이 닦아놓은 것보다 훨씬 더 깨끗하고 반짝반짝하게 닦으려고 애를 썼고, 접시 하나, 스푼 하나라도 반듯하고 가지런하게 정리하려고 노력했다. 남에게 잘 보이려고 그렇게 한 건 아니었는데, 그렇게 하다 보니 윗 사람 눈에도 좋게 보일 수밖에 없었던 모양이다.

저녁 근무를 시작하기 전에 호텔 레스토랑의 메뉴를 일일이 점검하고, 다음 날 특별메뉴는 무엇인지, 주 요리에는 어떤 감자가 사용되는지 빠짐없이 확인해 수첩에 적어두었다. 어떤 요리에 어떤 종류의 감자가 필요한지는 노르웨이에서 보낸 4년의 교육과정을 통해 충분히 알 수 있었다. 점검을 마치면 평소처럼 조리실로 들어가 일을 했다.

이때 함께 일하던 스페인 견습생은 그저 감자를 깎아 찬물에 담가 두기만 하는 반면, 아투르는 다 깎은 감자를 한 번 더 손질했다.

메뉴에 폼 샤토Pommes Châteaux(샤토 감자: 4~6센티 정도의 길쭉한 타원형으로 썰어 볶아낸 감자 요리_편집자 주)라고 적혀 있으면, 그는 감자를 커다란 올리브처럼 깎아냈다. 메뉴판에 폼 파리시엔Pommes Parisiennes(파리식 감자: 감자를 공처럼 둥글게 깎아 올리브오일과 버터에 볶은 요리_편집자 주)이라는 말이 보이면 그는 특별한 칼을 가져와 감자를 작은 구슬처럼 동그랗게 깎았다. 폼 알루멧Pommes Allumettes은 노르웨이에서 흔히 폼 프릿Pommes Frites이라고 불리는 길쭉한 감자칩을 가리켰다. 메뉴판에 이 단어가 보일 때면, 아투르는 감자를 길쭉한 사각형으로 잘라냈다. 폼 안나Pommes Anna(안나 감자: 얇게 썰어낸 감자를 쌓아 둥글게 만든 후 버터 등을 넣어 부드럽게 조리한 감자 요리_편집자 주)가 오르는 날이면 그는 감자를 종잇장처럼 얇게 깎았다. 이렇듯 요리의 종류에 따라 감자를 깎는 방법이나 모양을 내는 방법은 수도 없이 많았다. 그리고 아투르는 이에 대해 잘 알고 있었다. 그가 다음 날 메뉴에 따라 감자를 미리 준비해 두는 것을 본 조리사들은 자신들의 일이 줄었다며 크게 기뻐했다. 당연히 아투르는 상급 요리사들의 관심을 받기 시작했다.

얼마 후, 아투르가 일하는 레스토랑의 요리사 자리가 하나 비어, 호텔에서는 구인광고를 내게 되었다. 그런데 아투르와 함께 일하던 다른 요리사들은 그 자리에 아투르를 추천했다. 일은 순조롭게 이루어져, 하루아침에 '감자깎이'에서 보조 요리사로 승진을 하게 되었다. 비록 요리사들 중에서는 가장 낮은 직급이었지만 월급도 오르고 숙식에 사용되는 경비도 받게 되었다.

다른 요리사들은 아투르와 함께 일하게 돼 기뻐했다. 그러나 단 한 명, 함께 감자를 깎던 스페인 출신의 견습생만은 화를 참지 못하고 일을 그만둬버렸다.

감자 하나를 깎더라도 더 효율적으로 깎을 순 없을까? 그때부터 나는 매일매일 다음 날의 메뉴를 먼저 체크해, 그날 나가는 음식에 맞게 감자를 잘라서 요리사들이 요리하기에 가장 편한 상태로 준비했다. 그렇게 6개월쯤 지났을 때 나를 변두리 촌뜨기 취급만 하던 주방장이 보조 요리사 자리에 나를 적극 추천했다. 어떤 이는 몇 년째 감자만 깎고 있는데 나는 6개월 만에 요리사로 입성하게 된 것이었다.

머릿속에 넣어둔 것은 평생의 재산이 된다

성치 않은 몸으로 생계를 위해 매일 잡다한 아르바이트와 늦은 밤 공부를 병행했던 라면왕 이철호는, 하루 한 끼 물에 불린 가축사료용 빵으로 허기를 채웠고, 잠은 하루 서너 시간밖에 못 자는 고된 생활 속에서도, 고향에 계신 부모님께는 그 사실을 알리지 않았다. 힘든 시간 속에서도, '돈을 주고 산 것은 금방 잃어버릴 수 있지만, 공부해서 머릿속에 집어넣어둔 것은 아무도 훔쳐갈 수 없다'는 아버지의 말씀을 금과옥조로 여기며 새로운 것들을 배워나갔다.

감자 하나도 남다르게 깎아라

주방 보조 중에서도 가장 밑바닥에서부터 시작한 그는 매일 산더미같이 쌓이는 설거지와, 눌어붙은 음식찌꺼기를 긁어내는 일 등 힘들고 버거운 일을 하는 동안에도 단 한 마디의 불평도 하지 않았다. 일에 대한 그의 신념은 접시 하나를 닦을 때나 감자 하나를 깎을 때도 '정성을 다하자!'였고, 어떤 일이든 시키는 것 이상으로 최선을 다했기에 자연스럽게 윗사람들의 인정을 받게 되었다. 감자 하나라도 다르게 깎으려 했던 그의 노력은 6개월만에 보조 요리사로 입성하게 되는 보상으로 돌아온다.

놀라운 적응력
1960년대의 일상. 그는 놀랄 만한 적응력을 보였다. 직장에서는 하얀 요리사 옷과 모자를 쓰고 일하다가, 자유시간에는 당시 유행하던 코트에 중절모를 쓰고, 파이프 담배를 피우기도 했다.

거울 홀
1963~1964년, 철호는 오슬로의 그랜드 호텔, 거울 홀에서 주로 일했다.

편지로 만난 평생의 인연

나를 이끈 힘은 내가 하는 일을 사랑했다는 것이다.
당신이 사랑하는 것을 찾아야 한다.
연인을 구하는 것과 마찬가지로 일에서도 사랑하는 것을 찾아야 한다.

— 스티브 잡스, 애플사 CEO

언어 습득과 활용에 적극성을 띤 결과 어느덧 나는 영어, 노르웨이어, 독일어, 프랑스어, 한국어 등 5개 국어를 일상회화에 별 어려움 없이 자유롭게 구사하는 수준이 되었다.

◉◉ 4년간의 펜팔

아투르가 다녔던 포스 고등학교에서는 전교생들이 의무적으로 독일어를 배워야 했다. 수업의 일환으로 학생들은 독일에 거주하는 학생들과 펜팔을 하곤 했는데, 독일 학생들이 먼저 편지를 쓰면 노르웨이 학생들이 이에 답하는 형식이었다. 아투르의 펜팔친구는 16세의 안네리제 비테Anneliese Witte였다. 그녀는 아투르에게 보내는 첫 편지에서 펜팔을 통해 영어를 연습하고 싶다고 했다.

> 내 닉네임은 아치야. 너도 그렇게 불러줬으면 좋겠어. 키는 171센티미터고 몸무게는 55킬로그램. 나이는 스무 살이고, 짙은 갈색 눈동자가 특징이야. 국적은 한국인데, 지금 오슬로에서 호텔경영학을 공부하고 있어. 공부를 마치면 한국으로 돌아갈 생각이야. 늘 꿈꿔온 일이기도 하고. …(중략)… 나는 너만큼 영어를 잘하지는 못하니까 이해해줬으면 해. 보내준 사진 고맙게 잘 받았고, 다음에 나도 사진 보내도록 해볼게. 앞으로도 계속 편지 주고받았으면 좋겠다.
>
> 1957년 2월 12일, 이철호

이런 식의 편지가 몇 차례 오간 후, 아투르와 안네리제의 사이는 급격히 가까워졌다. 아투르는 편지에 한국의 부모에 대한 이야기까지 털어놓았다. 그가 편지에 자신의 생일을 적으면 그날에 맞춰 안네리제는 꽃다발을 보내왔고, 이런 비슷한 일이 반복되면서 둘은 비록 얼굴 한 번 못 본 사이였지만 서로에게 호감을 느끼게 되었다.

안네리제는 단순한 친구일 뿐이라고 강조했지만, 아투르는 사랑이 담긴 편지를 그녀에게 거의 매주 보냈다. 편지에는 오슬로의 날씨 이야기, 그가 참석했던 파티 이야기 등 일상적인 내용이 대부분이었다.

1957년 봄을 넘기면서 아투르는 시험 때문에 안네리제에게 이전만큼 편지를 자주 보내진 못했다. 그해 여름, 아투르는 모든 시험에 합격했고, 그 기쁜 소식을 전하려 펜을 들었다. 공부를 계속하기로 마음먹었다며, 자신의 아버지가 해준 말을 편지에 인용하기도 했다.

수중에 있는 돈은 얼마든지 잃어버릴 수 있지만, 머릿속에 들어 있는 지식은 잃어버릴래야 잃어버릴 수 없는 귀중한 재산이야. 이 말을 떠올릴 때마다 배우고 익히는 것이 얼마나 중요한 건지 깨닫곤 해.

어느덧 둘이 편지를 주고받은 지도 반 년이 훌쩍 지나 가을이 되었다. 안네리제는 편지를 통해 언젠가 여름에 부모님과 함께 노르웨이를 방문할 계획이라고 전했다. 그녀의 아버지는 제2차 세계대전 당시 노르웨이의 중부에서 군복무한 적이 있었다. 그런 그가 가족들과 함께 여름휴가를 이용해 다시 노르웨이에 방문하려고 했던 것이다. 아투르는 그 소식을 듣고 매우 기뻤으나 한편으로는 걱정이 되기도 했다. 여태까지 그가 안네리제에게 보내는 편지에 적었던 오슬로에서의 생활은 달콤하고 생기 넘치는 날들의 연속이었지만, 사실 그는 수중에 한푼도 없는 알거지나 다름없는 생활을 했기 때문이다.

어찌됐건 둘은 계속 편지를 주고받았다. 그러는 사이 아투르에게 새로운 여자친구가 생기기도 했고, 때문에 안네리제에게 편지를 보내는 일에 소홀한 적도 있었다. 그럼에도 둘의 편지는 끊어질 듯 끊어지지 않았다. 성탄절에는 선물도 주고받았고, 별다른 일이 생기면 꼭 편지에 적어 서로 공유했다. 그러는 와중에도 아투르는 돈이 없어 끼니를 때우는 것도 힘들다는 사정은 단 한 줄도 적지 않았다.

시간은 계속 흘러 이듬해 봄이 되었고 소식은 점점 뜸해졌다. 당시 아투르는 학생과 호텔 견습생 역할을 동시에 해내야 했기 때문에 눈코 뜰 새 없이 바빠, 그녀에게 봄을 통틀어 겨우 두 장의 편지만을 보냈을 뿐이었다.

언어가 되는 현지인들은 2시간이면 다 읽을 분량도 나는 6시간씩 걸려서야 마칠 때가 많았다. 나는 제대로 하기 위해 3배의 노력을 투자해야 하는 걸 기정사실화하기로 느긋하게 마음을 먹었다. 능력이 남만큼 안 되면, 더 많은 노력과 시간을 투자하는 것 외엔 승산이 없다.

편지 속에서 그는 진로에 대한 고민, 한국으로 돌아갈 것인지 말것인지에 대한 고민을 끊임없이 했다. 어떤 편지에서는 노르웨이에 남아 있을 것이라고 결심했다가, 또 다른 편지에서는 한국으로 돌아가는 게 좋겠다며 심정을 토로하기도 했다. 한국으로 돌아갈 돈이 없어 명확하게 결정을 내리기 힘든 것도 있었지만, 그런 이야기는 편지에 적지 않았다.

아투르와 안네리제 모두 특별히 편지에 적지 않는 것이 하나 있다면, 각자의 이성친구에 관한 이야기였다. 한 해가 저물도록 아투르는 자신의 여자친구에 대해 안네리제에게 단 한마디도 언급하지 않았고, 그녀 또한 자신의 남자친구에 대한 이야기는 하지 않았다.

1958년 가을, 조리사 과정을 마치려면 아직 2년이나 더 있어야 했다. 아투르는 얼른 공부를 마친 후, 일을 하고 돈을 벌면서 현실과 맞부딪쳐 살았으면 좋겠다고 이야기했다. 앞으로의 계획과 하고자 하는 일이 많았기 때문에, 새로운 생활을 시작하고 싶어 안절부절 못하는 상태였다. 앞으로 무엇을 할 것인가에 대한 고민은 해를 거듭하며 계속되었다.

1959년 가을에 들어서면서부터 아투르는 자신의 진로에 대한 고민에 빠져 다른 것에 신경을 쓸 겨를이 없었다. 안네리제에게 아무런 설명도 없이 한참을 편지 한 통 보내지 않았다. 이듬해인 1960년 1월이 돼서야 아투르는, 자신의 상황을 설명하는 편지를 보낼 수 있었다. 그렇게 간간이 편지를 주고받은 지도 꼬박 4년이 지났을 무렵이었다. 안네리제는 아투르에게 보내는 답장에서 그해 여름 부모님과 함께 노르웨이에 방문할 것이라 했다. 아투르는 이 반가운 소식에 곧바로 답장을 보냈다.

너를 오슬로에서 만날 수 있게 되다니 정말 기대된다! 언제쯤 올 건지 정확한 날짜를 꼭 가르쳐줘. 기다리고 있을게.

이제 아투르가 그의 펜팔친구인 안네리제를 직접 만나게 될 날도 얼마 남지 않았다.

🔘 그녀와의 첫 만남

1961년 여름, 안네리제의 가족은 자동차를 타고 노르웨이로 향했다. 목적지는 안네리제의 아버지가 2차 대전 당시 군복무를 했던, 트론헤임 피요르드에 자리한 뭉크홀멘Munkholmen이었다. 당시 뭉크홀멘에는 독일군의 항공기지가 있었는데, 안네리제의 아버지는 그곳에 들러 전쟁 당시 알고 지냈던 노르웨이 친구들을 만나볼 생각이었다. 오슬로에서는 목적지까지 가는 도중에 며칠만 묵을 예정이었다.

그들은 프레드릭스하븐Fredrikshavn에서 '올라브 왕자'라는 이름의 페리를 타고 오슬로로 향했다. 하늘은 맑고 물살도 그리 세지 않아 페리 여행을 하기엔 더없이 좋은 날이었다. 오슬로까지는 약 13시간 정도 걸릴 예정이었다.

아투르는 안네리제가 도착할 시간에 맞춰, 아침 일찍 선착장으로 마중을 나갔다. 피요르드 저 멀리서 페리가 보이기 시작했다. 아투르는 자세히 보려고 눈을 가늘게 떴다. 갑판 위에는 승객들이 나란히 서서 선착장에 마중 나온 사람들을 향해 손을 흔들었다. 아투르도 안네리제가 어디 있을지 생각하며 그들을 향해 손을 흔들었다.

그는 나름대로 신경을 쓴다고 단 한 벌뿐이던 양복에 짙은 색 셔츠를 받쳐 입었다. 검은색 정장구두는 좀 낡았지만 미리 잘 닦아두어 그런대로 봐줄 만했고, 양복 앞주머니엔 하얀 손수건을 꽂아 한껏 멋을 부린 모습이었다. 지난 4년간 주고받은 편지를 떠올리며, 이젠 가까운 친구처럼 느껴지는 그녀를 직접 만난다고 생각하니 아투르는 긴장도 되고 설레기도 했다.

드디어 페리가 선착장으로 들어와 정박했다. 아투르는 다시 한 번 옷매무새를 가다듬고 머리를 쓸어넘겼다. 안네리제 가족이 탄 자동차는 페리를 벗어나 아투르 앞에 멈추었다. 그리고 푸른색의 줄무늬가 있는 민소매 원피스를 입은 안네리제가 차에서 내렸다. 무릎까지 내려온 그녀의 원피스가 하늘거렸다. 한 손에는 하얀색 카디건을 들고, 카디건 색깔에 맞춰 하얀 샌들을 신고 있었다.(133페이지 사진 참조) 마치 영화배우 같은 모습이었다. 아투르는 자신을 향해 다가오는 안네리제를 향해 활짝 웃었다. 사진으로 본 것보다 키가 더 큰 것 같기도 하고, 아무튼 뭐라 형언할 수 없는 기분이었다. 하지만 아투르 눈에 안네리제가 아무리 아름다워 보여도 그녀에게 사랑을 고백할 수는 없는 입장이었다. 그녀의 곁에는 베르너 스톡피쉬Werner Stockfich라고 하는 애인이 있었기 때문이다.

◍◍ 부모님을 공략하라

아투르는 그간 푼푼이 모아두었던 돈을 모두 털어 안네리제 가족을 대접할 생각이었다. 우선 그들과 함께 선착장 주변을 한 바퀴 돌며 이곳저곳을 보여준 뒤, 시청을 구경시켜줬다. 그리고는 미리 예약해둔 국회의사당 옆의 아스토리아Astoria 호텔로 안내했다. 그들은 호텔 레스토랑 안에 따로 마련된 방으로 들어갔다. 소위 샹부르 세파리Chambre Separée라고 하는 곳이었다. 그곳에는 노르웨이의 전통 뷔페가 차려져 있었고, 디저트로는 과일 샐러드와 커피, 케이크가 나왔다. 안네리제의 가족들은 귀빈 대접에 감동을 받은 듯 아투르에게 고맙다는 말을 되풀이했다.

식사를 마친 뒤, 아투르는 그들을 데리고 오슬로 시내 관광을 시작했다. 그들이 가장 먼저 간 곳은 구스타브 비겔란Gustav Vigeland의 조각상들로 가득한 프로그너 공원이었다. 다음엔 전 세계적으로 유명한 스키 점프대가 있는 홀멘콜렌 언덕으로 향했다. 그곳에서 아투르와 안네리제의 가족들은 오슬로의 전경을 한눈에 내려다보았다. 저녁이 되자 아투르는 그들을 미리 예약해둔 보그스타드Bogstad 캠핑장으로 안내했다.

아투르에겐 이미 계획이 있었다.

'여자의 마음을 얻기 위해서는 그녀의 부모를 공략하라!'

캠핑장에 도착한 아투르는 안네리제와 그녀의 애인인 베르너는 거의 무시하다시피 하고, 부모님과 남동생인 라이너에게 온갖 관심을 보였다. 아투르의 작전이 맞아 들어가기라도 하는 듯 그녀의 부모님은 아투르와 시간을 보내며 꽤 흡족해했다. 저녁이 되자 아투르는 작별 인사를 하고 자신의 자취방으로 돌아왔다. 수중에 돈이 얼마나 남았는지 확인하고 다음 날 있을 피크닉을 위해 음식 바구니를 꾸렸다.

잠자리에 들기 전, 아투르는 두 눈을 감고 그날 있었던 일을 되새겨보았다. 안네리제를 만나 더없이 기쁘긴 했지만, 그녀와 단둘이서 대화를 나눌 시간이 전혀 없었기에 조금 서운하기도 했다. 다음 날 꼭두새벽부터 일어난 그는 피크닉 바구니를 들고 빵집으로 향했다. 주인이 문을 열자마자 신선한 빵을 구입했고, 바로 옆에 있는 슈퍼마켓에서 우유 그리고 빵에 얹어 먹을 치즈와 햄, 신선한 토마토 등을 샀다.

바구니를 들고 다시 캠핑장으로 향한 그는 안네리제의 가족들이 잠에서 깨기 전에 아침상을 차렸다.(134페이지 사진 참조) 그가 상을 다 차리고 나서야 잠에서 깬 가족들은 믿을 수 없다는 듯 기뻐하며 아투르를 칭찬했다. 그러나 단 한 사람 베르너는 매우 불만스러운 표정이었다. 안네리제는 그저 미소를 지을 뿐이었다.

안네리제를 내 사람으로 만들기 위해 나는 그 부모를 지극정성으로 대접했다. 첫 새벽 시장에 나가 신선한 빵과 우유, 치즈 등을 사다가 정성껏 식탁을 준비해놓고 그들이 일어나기만을 기다렸다. 또 어디를 가든 그녀의 부모님이 불편하지 않도록 최대한 친절하고 공손하게 항상 웃는 얼굴로 모셨다.

아투르는 잠시라도 안네리제와 단둘이 대화를 나누고 싶었지만, 그녀 옆에서 잠시도 떨어지지 않는 베르너 때문에 그건 사실상 불가능했다. 전날 프로그너 공원에서도 베르너는 안네리제와 팔짱을 끼고 다녔고, 보그스타 캠핑장에 왔을 땐 둘이 함께 배드민턴을 치는 바람에 기회를 놓쳤다. 아투르는 안제리너와 단둘이 대화를 나누기 위해 다른 작전을 세워야만 했다.

비라도 내리면 우산을 받쳐주고 그 안에서 단둘이 얘기를 나눌 수 있을까 싶어 하루 종일 우산을 들고 다녔지만, 날씨가 도무지 도와줄 생각을 하지 않았다. 날씨는 종일 화창했고 우산은 아무짝에도 쓸모가 없었다. 저녁이 돼 그녀의 가족들이 모두 캠핑장으로 돌아갈 때, 아투르는 다시 만날 빌미라도 만들기 위해 일부러 우산을 차 안에 남겨 두었다. 만일 다시 만나지 못한다고 하더라도 우산 하나 잃어버린 셈 치면 되니 꽤 괜찮은 계획이었다.

　우산 작전은 제대로 들어맞았다. 다음 날 안네리제의 가족들이 오슬로를 떠나기 전, 아투르의 자취방을 찾아왔다. 8층에 있는 그의 방까지 우산을 직접 들고 올라온 사람은 바로 안네리제였다. 그런데 아니나 다를까, 옆에 베르너가 따라붙어 있었다. 아투르는 안네리제에게 사랑한다고 고백하고 싶었지만, 마지막 기회마저 날아갔다. 그가 할 수 있는 일이라고는 그저 우산을 돌려줘서 고맙다고 말하는 것과 좋은 여행이 되길 바란다며 작별 인사를 건네는 것밖에 없었다.

◉◉ 작전 성공

　안네리제의 가족들은 3주 정도 노르웨이 전역을 돌며 관광을 했다. 아투르는 그 기간 동안 그녀에 관한 아무런 소식도 듣지 못했다. 그 여정이 결코 즐거운 것만은 아니었다는 말을 전해 들은 것은 한참 뒤의 일이었다.

　베르너는 뭐가 뒤틀렸는지 여행 도중 이것저것 불만을 표시하는 등 내내 짜증을 냈고, 그런 그를 보며 안네리제의 부모님은 타인을 배려할 줄 모르는 철부지 같다고 생각했다. 그러면서 오슬로에서 만났던 예절 바르고 친절했던 한국 청년을 자주 입에 올렸다.

안네리제의 가족들이 집으로 돌아가기 전 다시 오슬로에 들렀을 때, 아투르는 또 한 번 그들을 맞았다. 이번에는 오슬로 동쪽에 있는 에게베르그오센Ekebergåsen에 가서 관광을 시켜주었다. 그리고 그들은 다시 독일로 돌아갔다. 아투르는 그들이 타고 갈 페리가 정박된 선착장까지 배웅을 해주었다. 페리에 오르기 직전, 마지막 순간에 아투르와 안네리제는 사진 한 장을 겨우 남길 수 있었다. 안네리제는 노르웨이에서 보냈던 행복한 날들을 두고두고 기억하기 위해 아투르와 찍은 사진을 액자에 넣어 벽에 걸어두었다.

그다음 일은 안 봐도 훤했다. 독일로 돌아간 안네리제는 베르너와의 관계를 청산했다. 베르너는 끝까지 매달렸으나 안네리제의 결심은 확고했다. 그해 늦여름, 그녀가 아투르에게 보낸 편지에는 베르너와 헤어졌다는 소식이 담겨 있었다. 아투르는 정말 기뻤지만 그런 마음을 솔직하게 표현하지는 못했다. 그 다음 편지에서 그는 기쁜 마음을 꾹꾹 눌러가며 예의 바르게 글을 썼다.

> 베르너와 헤어졌다니 상심이 크겠네. 그래도 난 네가 잘 생각해서, 현명하게 내린 결정이라 믿어.

아투르가 스위스로 가서 일을 하기로 결심하고, 출국을 일주일 앞둔 여름이었다.

사실 나는 다른 평범한 사람들에 비해서도 열등감을 느낄 조건들을 엄청나게 많이 갖추고 있는 사람이다. 얼굴이 미남인 것도 아니고, 전쟁 때의 부상으로 다리도 전다. 배도 나왔고 키도 작다. 요즘 사람들의 조건에 놓고 보면 나는 열등감 종합선물세트일 것이다. 하지만 내 힘으로 바꿀 수 있는 게 아니라면, 빨리 그 상황을 받아들이고 긍정적으로 살아가는 게 훨씬 현명하다.

◕◕ 사랑 고백

스위스로 가면서 아투르는 안네리제에게 엽서를 여러 장 보냈지만 단 한 통의 답장도 받지 못했다. 9월 중순, 누샤텔에 도착한 아투르는 그녀에게 긴 편지를 보내면서 그간 왜 답장을 보내지 않았는지 조심스레 물어보았다. 그는 안네리제가 정말 베르너와 헤어지긴 한 건지 확신할 수 없어 괜히 불안해졌다. 그리고 얼마 지나지 않아 그녀로부터 답장이 왔다. 안네리제의 답장에서 그녀가 베르너와 헤어졌음을 확신한 아투르는 편지에 보다 적극적으로 자신의 감정을 담았다.

그날 너를 배웅하는데 별의별 생각이 다 들더라. 아… 저기 나의 그녀가 다른 남자와 함께 가는구나. 그간 나는 다른 남자의 애인에게 그토록 많은 편지를 보냈구나. 그런 생각을 하니까 더 우울해지더라. 네가 베르너와 행복할 수 있도록 영영 작별을 고해야 하나 생각도 해봤어.

1961년 가을은 아투르에게 있어 꽤 힘든 시기였다. 쏟아지는 일 더미에 매일 녹초가 되기 일쑤였고, 몸이 힘들어질수록 노르웨이와 한국을 향한 그리움도 커져만 갔다. 아투르는 마음이 약해질 대로 약해져 안네리제에게 더욱 의지하게 되었다. 너무 외로워서, 그녀가 옆에 있다면 얼마나 좋을까 하는 생각만 머릿속에 맴돌았다. 그리고 그해 10월 어느 날, 아투르는 편지를 통해 직접적으로 사랑을 고백했다. 그때부터 둘은 편지를 더 자주 주고받았다. 서로에 대한 감정을 솔직하게 털어놓는 것도 주저하지 않았다. 시간은 그렇게 흘러갔고 아투르는 여전히 스위스에서 일을 했다.

그 이듬해는 그에게 있어 혼돈의 시기였다 해도 과언이 아니었다. 안네리제에게 보내는 편지에는 무엇 때문에 자꾸 실패를 하는지 알수 없다고 했지만, 사실 누구보다 스스로가 잘 알고 있었다.

> 고백할 게 있어. 사실 이탈리아 여자를 잠시 사랑했었어. 아니 아직도 그녀를 사랑하는 것 같아. 하지만 그녀에겐 애인이 있고, 그는 나보다 훨씬 부자인 데다 많이 배웠어. 나이는 나보다 마흔 살이나 많은데 말이야. 그래 맞아, 내가 사랑하는 여자는 스물네 살이고 그녀가 좋아하는 남자는 육십 세를 넘긴 나이야. 그 여자 머릿속엔 돈밖에 없는 것 같아. 괴로워서 미치겠어.

그는 사랑을 잃어버린 충격에, 신경안정제를 처방받아 먹어야 했을 정도로 힘들어했다. 다른 여자 때문에 힘들어하는 아투르에게 안네리제는 서운함을 느낄 수도 있었지만, 오히려 너무 자책하고 절망하지 말라며 따뜻한 말로 위로를 해주었다. 그런 말들은 아투르에게 커다란 힘이 되었다.

그해 겨울, 아투르는 계약기간이 끝나는 이듬해 4월이 되면 누샤텔에서의 일을 접고 스위스를 떠나리라 다짐했다. 노르웨이로 돌아가는 길에 독일에 들러 안네리제를 만나볼 계획도 세웠다. 그러한 결심을 하고 난 뒤의 편지는 이전보다 훨씬 밝고 가벼운 분위기였다. 이탈리아 여인에 대한 언급도 전혀 없었고, 오로지 자신과 안네리제에게만 집중하고 있었다. 아투르는 누샤텔에서 보내는 마지막 주에 안네리제에게 여러 장의 편지와 엽서를 보냈다.

정말 고마워. 내가 실연의 슬픔에서 헤어나지 못하고 있을 때, 네가 가장 큰 위로가 됐어. 네가 해준 위로의 말과 따끔한 충고 덕분에 현실을 직시할 수 있었던 것 같아. 난 이제 많이 좋아졌어. 전부 네 덕분이야.

1962년 4월, 그는 마침내 누샤텔을 떠났다. 노르웨이로 돌아가면서, 요리사 공부를 더 하기 위해 곧 돌아오리라 결심했다. 일단 가장 먼저 할 일은 독일에 들러 안네리제를 만나는 것이었다.

능력이 안 되면 남들의 3배로 노력하라

오슬로에서 또 다른 외국어인 프랑스어와 독일어까지 익혀야 했던 라면왕 이철호는, '능력이 안 되면 남들보다 3배의 노력과 시간을 투자한다'는 것을 원칙으로 삼고 덤볐다. 그 결과 학생 역할과 호텔 견습생 역할을 동시에 해내면서 마침내 5개 국어(영어, 노르웨이어, 독일어, 프랑스어, 한국어) 회화를 자유자재로 구사할 수 있게 되는 진정한 multi-lingual이 된다.

사랑에도 정성을 다하라

사랑 쟁취에 있어서도 라면왕 이철호는 정성을 다했다. 돈 한 푼 없는 고학생 신분이었지만 가진 돈을 다 털어 안네리제의 가족들을 맞이했다. 그리고 그녀에게 가장 큰 영향력을 주는 그녀의 부모님을 지극정성으로 대접했다. 그 결과 열등감 종합선물세트라고 여겨질 수도 있는 외견상의 불리함이나 가난한 형편 등의 조건을 모두 극복하고 사랑을 쟁취하는 데 성공한다.

첫 만남

1961년, 안네리제와 철호의 첫 만남. 안네리제는 이 사진들을 사진첩에 넣어두었다. 특히 오른쪽, 다리 위에서 혼자 서 있는 철호 옆에는 원래 베르너가 있었으나 안네리제가 후에 삭제해버렸다.

노르웨이 여행
안네리제의 부모님, 안네리제, 철호

캠핑장의 아침
철호는 안네리제 가족을 위해 캠핑장에서
아침을 차렸다.

일과 사랑, 사랑과 일

사랑 없는 삶, 사랑하는 사람이 없는 삶,
그것은 하찮은 환등기가 비춰주는 '쇼'에 지나지 않는다.
슬라이드를 잇따라 바꾸어 비춰보지만 어느 것을 본들 모두 시시해서
다시 되돌려놓고는 다음 슬라이드로 다급히 바꾸곤 하는.

— 괴테, 독일의 작가, 철학자 겸 과학자

힘들었지만 내가 다른 인종, 불구의 몸이라는 건 어떻게 해도 바꿀 수 없는 조건이었다. 나는 상처받고 아파하는 대신, 있는 상황 그대로를 받아들여 언젠가는 내가 당신들이 생각했던 것보다 훨씬 멋진 사람이라는 걸 똑똑히 보여주겠다고 다짐하고 또 다짐하곤 했다.

◉◉ 실패해도 경험은 남는 것

1962년 4월, 그는 오슬로에 있는 동안 누샤텔의 뷰락Beaulac 호텔에서 일자리 제안을 받았다. 때문에 며칠 머물지 못하고 다시 누샤텔로 돌아가야만 했다. 돌아가는 길에 그는 독일에 들러 안네리제를 만났

다. 두 사람이 만난 적은 단 한 번뿐이었지만, 무려 5년 동안의 펜팔 덕분에 어색함을 느끼지는 않았다. 둘만의 시간을 함께 보낸 뒤 다시 누샤텔로 향하던 아투르는 그녀가 바로 평생을 함께할 여인이 될 것이라는 확신이 들었다.

얼마 후 누샤텔로 돌아온 아투르는 한국에서 온 편지 한 장을 받았다. 큰형이 보낸 편지에는 온 가족이 그가 한국에 돌아오기만을 기다리고 있다고 적혀 있었다. 나이가 나이니만큼 이제 한국으로 돌아와 제대로 된 짝을 찾고 자리를 잡아야 하지 않겠냐는 것이 가족들의 공통된 의견이었다. 아투르는 유럽 여자와 결혼할 것이며, 여기서 필요한 만큼의 공부를 마치기 전까지는 한국에 돌아가지 않을 것이라고 답장을 했다. 그리고 만약 한국에 돌아가게 되더라도 적어도 5년은 걸릴 거라는 말도 덧붙였다.

1962년 여름, 아투르는 몇 가지 중대한 결정을 내렸다.

일단 그는 뷰락 호텔의 요리사 직을 내려놓았다. 항상 일손이 부족한 그곳에서 요리 외에 여러 가지 잡다한 일을 해야만 한다는 것이 가장 큰 이유였다. 계약기간 만료일이 두 달 정도 남았기 때문에 위약금을 지불해야만 했지만, 그건 그다지 큰 문제가 아니었다.

일을 그만둔 아투르는 새로운 일자리를 구하기 위해 스위스와 프랑스를 전전했다. 그는 더 많은 것들을 배우고 싶었고, 새로운 것에 끊임없이 도전하고 싶었다. 이미 노르웨이에서 받은 조리사 자격증과 스위스 누샤텔에서의 경력이 있었기 때문에, 이제는 일하게 될 곳의 급여 조건도 고려하기 시작했다.

원하는 일자리를 구하기는 쉽지 않았다. 그는 안제리네에게 편지를 보내 스위스 전역을 돌며 일자리를 찾아보았지만 남는 것은 우울증과 피로, 그리고 외로움뿐이라 하소연했다. 사실 그에게 일자리를 제안한 곳이 여러 군데 있었지만 하나같이 저임금이거나 배울 것이 없는 보조요리사 자리뿐이었다.

다시 한 번 중대한 결정을 내릴 때가 왔다. 그는 누샤텔로 돌아와 며칠을 곰곰이 생각한 끝에 라 누버빌La Neuveville로 이사를 하기로 했다. 그곳에서 아투르는 카나도르Canard Doré라고 불리는 레스토랑을 동료와 함께 창업해 동양음식을 선보이는 데 주력했다.

그의 하루하루는 다시 눈코 뜰 새 없이 바쁘게 돌아갔다. 이른 아침부터 늦은 저녁까지 회계장부를 정리하고 예산을 세웠으며, 수지를 맞추고 더 많은 이윤을 내기 위해 계산기와 씨름해야 했다. 모든 것이 계획대로 돌아간다면 동료와 함께 몇 년 내로 큰 레스토랑을 사들여 운영할 수도 있을 것 같았다.

그는 난생처음 책임자가 되어 일하는 것에 보람을 느꼈다. 걱정할 이유는 아무것도 없었다. 설사 레스토랑이 성공하지 못한다 하더라도 그가 들였던 시간 말고는 잃을 것이 없었기 때문이다. 그리고 비록 시간을 잃는다 하더라도, 그간 쌓아놓은 경험은 그대로 그에게 남을 것이 아닌가. 마음만 먹으면 언제든지 노르웨이나 미국으로 건너가 일반 요리사 직을 맡아 일을 할 수 있는 상황이었다.

7월 말, 안네리제는 직접 라 누버빌로 와서 아투르를 만났다. 세 번째 만남에서 둘은 약혼을 결심했고, 아투르는 노르웨이와 미국에 있는 친구들, 그리고 한국의 가족들에게 이 기쁜 소식을 편지로 알렸다. 결혼은 이듬해 봄에 올릴 예정이었다.

●● 약혼 앞의 난관

탄탄대로로 나가기만 하면 될 것 같았던 둘 사이에 생각지도 못한 장벽이 나타났다. 바로 안네리제의 부모님이었다. 그들은 아투르가 크리스트교로 종교를 바꾸지 않는다면 안네리제와 절대 결혼시킬 수 없다고 못을 박았다. 아투르는 걱정이 돼 잠을 이룰 수 없었다. 그에게 크리스트교는 생전 듣도 보도 못한 종교였다. 심지어 그는 불교적 전통을 지닌 가정에서 자라난 불교신자였다. 하물며 믿음은 사람의 신념인데, 하루아침에 바꿀 수 있는 성질의 것이 아니지 않은가. 하지만 그는 사랑을 얻기 위해 종교를 포기하겠다고 결심했다. 그리고 9월 중순, 라 누버빌의 한 목사를 찾아가 면담을 신청했다.

그걸로 모든 문제가 해결되는 것은 아니었다. 아투르는 여태껏 자신이 수차례의 수술을 받아왔다는 사실을 한 번도 말하지 않았다. 하지만 사랑하는 사람과의 약혼을 코앞에 두고 있는 시점에서 더 이상 숨길 수도 없는 노릇이었다. 과거 전쟁의 상흔으로 혹시 자식을 갖지 못하는 것은 아닐까 하는 걱정이 앞섰다. 엑스레이를 많이 찍으면 생식력이 감소된다는 말을 어디서 들은 적이 있었기 때문이었다.

그는 해가 가기 전에 이 문제를 명확히 해둬야겠다고 생각했다. 근처의 병원을 찾아가봤지만 그곳에는 이 문제를 검사할 만한 기구들을 갖추고 있지 않았다. 그래서 그는 더 큰 병원으로 가야만 했다. 진료일을 기다리며 지역 목사에게서 받은 마틴 루터의 교리문답서 두 권을 통독했다. 하지만 크리스트교에 대해 여전히 확신할 수 없었다. 대체 무엇을 믿어야 하는지 앞이 캄캄하기만 했다.

교리공부는 그런대로 진척되었으나, 장래에 아이를 가질 수 있는지 여부는 여전히 불투명했다. 아투르는 날이 갈수록 마음이 무거워졌다. 목사와 다시 만난 아투르는 성경을 읽는 데 재미를 들였다고 했다. 하지만 솔직히 신의 존재에 대해선 아직 확신하지 못하겠다는 말을 덧붙였다. 하지만 그의 마음이 차츰 열리고 있는 것은 사실이었다. 목사도 언젠가는 아투르의 마음을 돌릴 수 있으리라 확신했다.

시간은 흘렀고, 아투르는 의사로부터 가장 두려워하던 답을 들었다. 의사는 그의 생식력이 매우 떨어져 있으며, 여자 쪽 건강이 백 퍼센트 완벽하게 받쳐주지 않는다면 아이를 보기 힘들 거라고 말했다. 도움이 될 만한 약을 건네주긴 했지만, 임신 가능성은 여전히 희박하다는 말도 덧붙였다.

아투르는 다소 실망했지만 절대 좌절하지는 않았다. 실낱같은 희망이었지만 가능성이 아주 없는 것은 아니었다. 그래도 안네리제에게는 이야기를 하는 것이 옳다고 생각해, 그녀에게 편지를 보냈다. 그녀가 얼마나 아이를 원하는지 잘 알고 있으며 현 상황이 이러니, 만약 원하지 않는다면 파혼을 한다 해도 받아들이겠다는 내용이었다. 하지만 안네리제는 아투르를 놓지 않았다. 결국 그들은 1962년 12월 16일,

독일에서 정식으로 약혼식을 올리기로 결정했다.

흐릿한 세상 건너기

나머지 일은 순조롭게 진행되었다. 초청장은 이미 보냈고, 미리 주문해놓은 양복은 곧 완성될 예정이었다. 적지 않은 사람들이 그의 약혼식에 참석하겠다며 연락을 해왔다. 하지만 정작 한국에 있는 가족들에게는 연락이 없었다. 이미 수차례 편지를 보냈으나 계속 감감무소식이었다. 아투르는 슬슬 걱정이 되기 시작했다.

그가 노르웨이와 스위스에서 공부를 하고 일을 하며 지낼 때만 해도 한국에서 편지가 꾸준히 왔었다. 편지는 늘 큰형이 썼는데, 아투르는 가끔 그 편지를 읽지도 않은 채 밀어두곤 했다. 한국에서 들려오는 소식이 항상 밝고 기쁘지만은 않았기 때문이다. 그들은 전쟁이 남기고 간 흔적에 여전히 시달리고 있었다. 목숨을 잃은 친척들도 많았고, 살림살이도 거의 없다시피 했다.

가족들은 틈만 나면 아투르에게 한국으로 돌아오라 했지만, 아투르는 고집스럽게 유럽에 남아 있었다. 한국으로 돌아갈 여비가 없다고 솔직하게 말할 수도 있는 일이었다. 그러나 그런 말은 일절 입 밖에 내지 않았다. 한국에 있는 가족들이 가난에 찌들어 사는 것도 잘 알고 있었지만, 혼자 하루하루 끼니를 때우기도 힘든 판국에 돈을 보낼 수도 없는 노릇이었다.

한국에 다녀올 왕복 비행기 표를 살 돈은 물론, 끼니를 때울 돈조차 없었기에 한국에 가는 것은 그에게 꿈이나 다름없었다. 때문에 차라리 외면하려 애를 썼던 것이다. 언젠가는 한국에 꼭 가겠다는 막연한 약속을 하고 싶지도 않았다. 차라리 가슴 아픈 현실에 대해 침묵으로 일관하는 편이 낫다고 당시엔 생각했다.

한국의 가족들은 이런 아투르를 오해한 듯했다. 그들은 마치 아투르가 가난에 시달리고 있는 조국의 가족들을 외면하고, 외국 땅에서 원하는 공부도 실컷 하고 일도 하면서 흥청망청 잘 살고 있는 줄로만 알았을 것이다. 실제로 큰형이 보내온 편지는 거의 대부분 한국의 가족들이 얼마나 큰 고통 속에서 살고 있는지를 구구절절 설명하며 구걸하는 듯한 내용이었다. 아투르의 아버지는 신발을 수선하는 일을 하게 되었고, 동시에 술을 입에 대기 시작했다고 전해왔다. 아투르는 어린 시절, 아버지가 술을 입에 대는 것을 한 번도 본 적이 없었다. 때문에 술에 취한 아버지의 모습은 상상하기조차 힘들었지만, 아마 가진 것을 모두 잃은 상실감 때문이었을 것이라 생각했다.

아투르는 어쩌면 기억하고 싶지 않아 의식적으로 외면하려 했을지 모른다. 슬픔, 고통, 비참함 같은 것들은 가능한 한 피하고 싶었던 것이다. 아투르는 평소 좌절할 만한 일이 있으면 최대한 빨리 털어버리고 다시는 그렇게 되지 않기 위해 온 힘을 다했다. 그런 그를 오해한 가족들은 더 이상 그에게 편지를 보내지 않았고, 그의 소식에 아무런 반응도 하지 않았던 것이다.

🌑 모든 것을 극복한 결혼

어찌됐건 안네리제에게는 한국의 가족들이 왜 감감무소식인지 설명해야 했다. 아투르는 그녀에게 보내는 편지에 어쩌면 가족들이 약혼식 초청장을 받지 못했거나, 혹은 그가 한국에 돌아오지 않아 실망하고 있는지도 모르겠다고 적었다. 설사 한국에서 가족들이 축하하러 오지 않더라도 자신이 내린 결정에는 후회가 없다며 확신을 보였고, 가족을 만나러 미래라고는 찾을 수 없는 나라에 되돌아가기보다는 평생을 함께할 사랑을 택하는 것이 옳은 일이라고 전했다. 한국에 갈 돈이 없다는 이야기는 역시 한마디도 꺼내지 않았다.

약혼식 날짜는 점점 가까이 다가왔지만, 그에게는 아직 풀어야 할 숙제가 있었다. 신앙의 문제였다. 내내 고민만 하다가 늦가을이 돼서야 스스로 준비됐다고 말할 수 있을 만했다. 성경을 수차례 읽으며 깨달은 바가 있었다. 1962년 11월 18일, 아투르는 마침내 라 누버빌 교회에서 세례를 받았다. 비록 그는 신보다 안네리제를 더 깊이 사랑했지만, 크리스천으로 세례를 받고 새 삶을 시작한다는 사실에 매우 만족했다. 그리고 12월 중순, 스위스의 라 누버빌을 떠나 안네리제의 가족들이 사는 독일로 직행했다. 16일, 그곳에서 아투르와 안네리제는 많은 사람의 축복 속에서 약혼식을 치렀다.

사실 둘의 사랑이 당시로서는 상당히 파격적인 일이었다. 독일의 한 평범한 22세 소녀가 아무 연고도 없이, 편지만으로 세 살 연상의 한국 청년을 알게 돼 사랑에 빠지고 약혼까지 한 것이다. 소녀의 가족들은 청년의 가족을 만나본 적도 없으며 앞으로도 그 가족들을 만날 수 있을지 확신할 수 없었다. 더욱이 한때 나치군의 일원이었던 안네리제의 아버지는, 피부색도 다르고 언어도 다르며 낯선 문화 속에서 자란 한국인에게 애지중지 키운 딸을 기꺼이 보냈다. 물론 주변에 반대하는 사람이 아주 없지는 않았지만, 그럼에도 불구하고 안네리제의 식구들은 낯선 한국 청년과 딸의 사랑을 신뢰했던 것이다.

Mr Lee's
Success
Mind

창업 자체가 평생에 남을 중대 경험이다

라면왕 이철호는 라 누버빌에서 없는 돈을 모아 레스토랑 공동 창업에 난생처음 뛰어들었지만 걱정하지 않았다. 설혹 성공하지 못한다 해도 자신이 잃을 것은 아무것도 없다고 생각했다. 투자한 시간을 잃는다 해도 그 과정에서 쌓은 경험만은 온전히 자기 것으로 남는다는 것을 확신했다.

일과 나의 가족

사람은 위대해지고자 결심해야만 그렇게 될 수 있다.
위대한 사람 없이는, 어떤 위대한 것도 성취될 수 없다.

— 샤를 드골, 프랑스의 군사 지도자 겸 정치인

나는 보조가 아닌 정식요리사가 된 후로는, 한 번도 남에게 아쉬운 입장이 돼 일자리를 구하러 다녀본 적이 없다. 항상 스카우트 제의를 먼저 받고 내가 일자리를 선택해 일했다. 기본적인 실력을 갖추고 자기 일에 정성과 최선을 다하면, 내가 광고하지 않아도 항상 나를 눈여겨보는 사람이 있다는 걸 그때 깨달았다. 실력 있고 성실한 사람과는 누구나 팀이 돼 함께 일하고 싶어 한다.

💬 주방장으로의 역전극

이듬해 초, 안네리제는 여전히 독일에 머물렀고, 아투르는 행복에 젖어 노르웨이로 돌아왔다. 그는 오슬로에서 며칠 머문 뒤, '호텔경영학'을 공부하기 위해 스타방거Stavanger로 향했다. 막상 공부를 시작하기 전에는 이 일이 자신의 적성에 맞는 건지 고민이 많았지만, 일단 학기에 들어서서 수업이 시작되자 아투르는 모든 과정을 훌륭히 소화해 냈다. 스타방거에서는 좋은 성적을 얻었을 뿐만 아니라, 살아가는 데 도움이 될 만한 사람들과 깊은 인연을 맺기 시작했다.

1964년 6월 2일, 지루한 기다림은 끝이 났다. 안네리제가 어린 시절을 보냈던 독일의 한 조그만 도시에서 두 사람은 결혼식을 올렸다.(157페이지 사진 참조) 그리고 이날을 기점으로 아투르는 별명이나 다름없었던 이름을 버리고 '철호'라는 본래의 이름을 되찾았다.

해가 났다가 구름이 꼈다가 날씨는 조금 변덕스러웠다. 식을 끝내고 사진을 찍으려 할 때는 바람까지 불어 고생을 했지만 둘은 미소를 잃지 않았다. 그러면서도 철호는 속으로 언뜻 불길한 생각이 들었다.

'어쩌면 우리 앞날도 오늘 날씨처럼 변덕스러운 것은 아닐까? 해가 났다가 구름이 꼈다가, 어느 순간 거센 바람이 불어닥칠지도 몰라.'

둘의 결혼식을 축하하기 위해 수많은 친지와 친구들이 유럽 각지에서 모여들었지만 철호의 가족은 어디에서도 찾아볼 수 없었다. 철호가 가족을 뒤로하고 한국을 떠난 지도 어느덧 10년이나 흘렀다. 다시 한국으로 돌아가 가족을 만나기 위해 어쩌면 그만큼의 세월을 더 보내야 할지도 모를 일이었다.

우리는 조그만 방에서 오직 서로만을 의지한 채 맨손으로 결

혼 생활을 시작했다. 나는 계속 호텔 주방에서 일했고, 안네리
제는 프리랜서로 그래픽 디자인 일을 했다.

결혼한 뒤 몇 년은 순조롭게 흘러갔다. 물론 궂은일이 아주 없지는
않았지만 철호는 직장에서 승승장구했고, 얼마 지나지 않아 오슬로에
서 가장 격조 높은 레스토랑으로 꼽히는 블롬Blom에서 대표 소스 요
리사 자리를 맡게 되었다. 이는 전체 요리사 중 두 번째로 높은 자리였
다. 철호가 블롬에서 일을 하게 돼, 부부는 오슬로로 이사를 할 수밖에
없었다.

철호는 언제나처럼 주어진 일에 자부심을 가지고 최선을 다했다.
함께 일하는 동료들에게 존경과 애정을 한몸에 받았고, 윗사람들에게
는 신뢰를 얻었다. 이렇듯 바깥일은 순조롭게 진행되는 듯했지만 집
안에서는 그렇지만도 않았다. 철호와 안네리제는 아이를 가져보려 온
갖 노력을 했으나 생각처럼 쉽지만은 않았다. 안네리제는 좀처럼 임
신할 기미를 보이지 않았고 철호는 그것이 자신의 탓이라는 것을 잘
알고 있었다. 그는 사랑하는 아내가 그토록 원하는 것을 해줄 수 없다
는 절망감에 사로잡혔다.

스스로를 향한 절망감이 커질수록, 그는 직장에서의 일에 열성을 더
했다. 그리고 그 열성은 눈에 띄는 결과로 나타났다. 홀멘콜렌 호텔에
서 그에게 대표 요리사 직을 제안한 것이다. 1966년 가을, 결혼한 지 2
년 만의 일이었다. 이 꿈같은 기회를 절대 놓칠 수 없었기에 그는 단번
에 수락을 했다. 10년 전 홀멘콜렌 호텔에서 견습생으로 일하던 시절

을 떠올리니 감회가 새로웠다. 그는 블롬 레스토랑의 조리사 직을 사임하고, 그해 11월 홀멘콜렌 관광호텔에서 새로운 일을 시작했다.

피나는 노력의 결과로, 나는 마침내, 노르웨이 최고의 호텔인 홀멘콜렌 호텔의 주방장으로 스카우트되었다. 내가 처음 요리 공부를 시작했을 때 선배급이었던, 때론 턱없이 나를 트집 잡아 구박하고 때리기까지 하던 20여 명의 사람들을 이젠 내가 거느리는 입장이 되다 보니 감회가 남달랐다.

첫딸, 그리고 영광의 스카우트

이듬해 봄, 드디어 철호의 가정에도 좋은 소식이 들려왔다. 마침내 안네리제가 임신을 한 것이었다. 둘은 곧 부모가 된다는 행복감과 기대감에 설레었다. 그리고 전혀 경험해보지 않은 낯선 세계에 대한 약간의 걱정도 됐다. 철호는 비록 입 밖에 내지 않았지만 속으로 첫 아이가 사내아이길 바랐다. 그렇다면 이씨 가문은 노르웨이에서도 대를 이어나갈 수 있을 것이었다. 하지만 그 바람은 이루어지지 않았다. 1967년 12월 4일, 첫딸 안냐Anja가 태어났다. 아들을 바라긴 했지만, 막상 건강하고 예쁜 딸이 태어나자 철호도 진심으로 기뻐했다. 한때는 2세를 거의 포기하다시피 했었으니, 아들이든 딸이든 상관없이 건강하게 잘 태어나주었다는 것만으로도 그는 감사했다.

아이가 태어나자 부부의 삶은 새로운 국면으로 접어들었다. 철호는 책임감을 가지고 더욱 열심히 일해야 했고, 안네리제는 낯선 나라에서 안냐를 기르고 집안일을 하며 거의 홀로 지내야 했다. 그녀는 독일 집이 그리워 향수병에 걸릴 지경이었다. 그녀의 부모님은 멀리 사는 딸을 만나러 노르웨이에 자주 오시긴 했지만, 엄마가 된 안네리제는 이전보다 더 부모님의 도움을 필요로 했으며 그들과 가까이 살고 싶어 했다.

철호는 아내의 향수병을 치유해주고 싶어 이리저리 궁리를 해봤다. 계산기를 두드려보니, 한 해 동안 장인 장모가 독일에서 노르웨이까지 다녀가는 데 드는 비용이 철호의 1년 소득보다 훨씬 높았다. 결국 철호는 가족들을 데리고 다시 독일로 가기로 결심했다. 독일에서라면 자신만의 사업을 시작할 수 있을 것 같았다. 그들은 바로 그해 겨울에 이사할 준비를 시작했고, 이듬해 봄, 철호는 홀멘콜렌의 대표 요리사 직을 그만두고 가족들과 함께 독일로 떠났다.

독일로 이사한 두 부부는 눈코 뜰 새 없이 바쁜 나날을 보냈다. 우선 그들은 레스토랑을 열기 위해 마땅한 자리를 알아보았고, 자리가 구해지자 건물 안팎을 그럴듯하게 꾸미기 위해 밤낮으로 일했다. 그로부터 몇 달 후, 부부는 그들만의 레스토랑을 새로 열 수 있었다.

레스토랑의 이름은 트뢰델마르크트Trödelmarkt 즉, '벼룩시장'이라는 뜻의 독일어였다. 인테리어를 책임진 안네리제의 제안에 따라 그들은 레스토랑을 오래된 중고 장식품 위주로 꾸몄다. 그녀는 메뉴판 디자

인, 그리고 식탁보와 식기에 들어갈 식당 로고의 도안 작업까지 직접
했다. 철호는 노르웨이 최고급 레스토랑에서 일했던 경험을 살려 트
뢰델마르크트의 메인요리를 노르웨이 전통음식으로 지정했다. 뿐만
아니라 보조 요리사와 서버들까지 노르웨이에서 데려왔으며, 이들은
모두 노르웨이 전통의상을 입고 일을 했다. 레스토랑은 금세 유명해
져, 앉을 자리가 없을 정도로 거의 매일 붐볐다. 그 근방에 사는 사람
들은 물론, 본Bonn의 정치가, 외교관들도 자주 찾았다.

　하지만 여기서도 어려움이 없었던 것은 아니다. 독일 공기가 유독
좋지 않아 안네리제의 건강에 악영향을 미쳤기 때문이었다. 안네리
제는 그곳에 사는 내내 비염으로 고생을 했고, 의사는 그녀에게 공기
가 좀 더 맑은 지역으로 이사를 하는 것이 좋겠다고 권했다. 때마침 철
호에게 깜짝 놀랄 만한 스카우트 제의가 들어왔다. 노르웨이 비카 테
라스에 새로 문을 연 묄하우젠Møllhausen('방앗간'이라는 뜻_편집자 주) 카
페에서 대표직을 맡아달라는 것이었다. 더없이 좋은 기회였기 때문에
둘은 다시 노르웨이로 돌아가기로 결심했다.

　그 회사는 한 집안에서 4대를 이어 운영해온 150년 역사의
유서 깊은 공장이었다. 그런 회사에 최초의 외국인 책임자가
되는 것은 무척 영광스런 일이었다. 그만큼 인정을 받았다는
사실이 무척 기뻤다.

철호는 독일의 레스토랑을 팔아야 한다는 생각에 마음이 무거워졌

다. 오랫동안 꿈꿔왔던 자신만의 레스토랑이었기 때문이다. 하지만 가족들을 비롯한 여러 가지 여건들을 생각해봤을 때 노르웨이로 돌아가는 것이 맞는 선택인 것 같았다. 일단 철호는 묄하우센에서 바로 일을 시작했고, 안네리제는 레스토랑이 팔릴 때까지 독일에 머무는 수밖에 없었다. 몇 달 후 레스토랑을 처분하고 온 가족이 오슬로에 거처를 마련했다.

마침 철호가 노르웨이에 와, 처음으로 자취생활을 했던 카르스 부인의 집이 매물로 나왔다는 소식이 들렸다. 철호는 처가의 도움을 받아 그 집을 살 수 있었다. 15년 전 한 칸짜리 방에서 자취를 하던 그가 그 집을 통째로 갖게 된 것이다. 그 옛날 방 한쪽 구석의 싱크대에서 뜨거운 물에 딱딱한 빵을 불려 먹던 시절을 생각하면 가슴이 벅차올랐다. 낯선 나라에 와 처음 생활한 곳에서 가정을 꾸렸으니 그 의미가 남다를 수밖에 없었다.

대문을 들어서자마자 볼 수 있는 작은 방은 훗날 막내딸 이리나의 방이 되었다. 그 방은 옛날 철호가 자취방으로 사용했던 장소였다. 이리나는 가끔 책상 앞에 앉아 방의 맞은편 구석진 곳에 자리한 싱크대를 바라보며 생각에 잠기기도 했다. '바로 저곳에서 아버지는 배를 채우기 위해 딱딱하고 오래된 빵을 불려 먹었겠지….' 창밖의 사각형 건물을 바라볼 때면, 그 옛날 아버지 또한 같은 건물을 바라보았을 것이라는 생각에 가슴이 저려올 때도 있었다.

🔴 가족, 그 행복한 책임감

철호와 안네리제는 늘 한국을 방문하고 싶은 마음은 있었지만 비행기 값이 너무 비싸 미루고만 있었다. 그런데 1970년, 철호는 드디어 고국을 떠난 지 20여 년 만에 한국에 방문할 수 있게 됐다. 한국의 한 기관에서 요리강사 자격으로 철호를 초빙한 것이었다. 그들은 안네리제와 함께 6개월간 한국에 머무는 일체의 비용을 부담한다는 조건을 내걸었다. 철호가 할 일은 한국에 있는 유럽식 식당에서 일하는 요리사들을 교육시키는 것이었다. 그는 묄하우센에 반 년 동안 휴직계를 내고 한국 측의 제안을 받아들였다. 그즈음 안네리제의 아버지가 돌아가시는 바람에 홀로 계신 장모가 오슬로로 와, 철호 부부의 아이를 돌봐주기로 했다.

부부는 한국에 도착해 가장 먼저 철호의 가족을 찾아갔다. 그러나 철호의 아버지는 이미 세상을 떠난 지 오래였다. 철호는 아버지의 임종을 지켜보지 못했다는 슬픔과 죄책감에 사로잡혔지만, 어머니와 형제들을 만날 수 있는 것으로 위안을 삼았다. 그리고 안네리제를 가족에게 소개할 수 있다는 데 큰 의미를 두었다.

한국의 요리 견습생들은 생각보다 학구열이 높았다. 애당초 6개월을 목표로 작성된 지도안을 3개월 만에 모두 소화해버린 것이다. 모든 유럽식 요리법에 관한 것과 독일식, 프랑스식 고급 요리법에 대해 강의했고, 심지어 시간을 채우기 위해 노르웨이의 일반 조리법까지도 언급해야만 했다. 철호는 더 이상 학생들에게 보여줄 것이 없다고 생각했다. 마침 안네리제가 향수병에 시달리고 있기도 했으니, 노르웨이로 돌아가는 수밖에 없었다.

노르웨이로 돌아가기 직전, 철호 부부를 한국으로 초청했던 기관에서는 그들에게 한국관광을 시켜주겠다고 했다. 두 부부와 철호의 어머니까지 2주 동안 귀빈대접을 받으며 한국의 이곳저곳을 돌아다녔다.(이때 을지로6가 뒷골목에서 철호는 처음 '라면'이란 것을 맛보게 된다. 168페이지 참조_편집자 주) 그렇게 관광을 마치고 부부는 오슬로로 돌아왔다. 당초 계획보다 이른 귀국이었다.

그로부터 몇 달이 채 지나지 않아 그들 가족에게 다시 한 번 좋은 소식이 들려왔다. 안네리제가 둘째를 임신한 것이었다. 첫 아이도 워낙 어렵게 얻었기 때문에 그것으로 끝일 줄 알았는데 뜻밖의 일이었다. 철호는 또다시 아들을 기대했으나, 1971년 4월 건강한 둘째딸 소냐가 태어났다.

5년이 지난 후, 안네리제는 셋째를 임신하게 되었다. 이번에는 철호는 물론 안네리제까지 사내아이가 틀림없다고 생각했다. 철호는 드디어 아들을 볼 수 있을 것이라는 희망에 가슴이 부풀었다. 이 낯선 땅에서도 그의 뿌리를 내릴 수 있게 되었다는 생각 때문이었다. 하지만 1976년 3월 세상에 태어난 셋째 역시, 여지없이 딸이었다.

'요 정도만 더 달고 태어났으면 좋았을 텐데…'

물론 자식을 볼 수 없을 거라는 절망감에 빠졌을 때를 생각하면 감사할 일이었지만, 사람 마음이 마음인지라 철호는 실망감을 감추지 못했다. 이런 그의 태도에 안네리제의 어머니는 크게 꾸중을 했다. 철호는 곧바로 자신의 태도를 반성하며 세 딸을 정성껏 길러내리라 다짐했다.

내 손에 달린 식구가 몇 명인가 생각하니 철호는 책임감을 느낄 수밖에 없었다. 어쩐지 어깨가 무거웠지만 세상 무엇보다 큰 선물이라 생각하며 열심히 살아가리라 다짐했다. 그렇게 몇 년은 열심히 일을 했고 남부러울 것이 없었다. 비록 떼돈은 아니었지만 식구들을 먹여 살리는 데 부족하지 않을 만큼의 돈도 벌었다. 그리고 그간 저축한 돈으로 오슬로에서 차로 한 시간 거리에 별장도 마련해뒀다.

별장이라고는 했지만 사실상 자랑할 만한 시설은 못됐다. 다만 온 가족이 함께 지낼 수 있는 널찍한 공간을 얻었다는 것만으로 만족했다. 여름이면 그곳에서 다 같이 휴가를 즐겼다. 마당에서 직접 키운 채소들, 그 가운데 잔디밭에 누워 있는 안네리제, 근처 딸기밭에서 옹기종기 딸기를 따는 딸들의 모습을 볼 때마다 철호는 세상을 다 얻은 것 같은 기분이었다.

철호는 장미 넝쿨을 손질하고, 새집을 만들고, 야외용 체스판도 만들었다. 그리고 겨울이면 직접 제작한 야외용 벽난로에 꼬치에 끼운 소시지를 구워먹기도 했다.

세 딸은 어느새 자라 학교에 갈 나이가 되었다. 당시 그 주변엔 어느 집에도 아시아 계통의 사람이 없었다. 그도 그럴 것이 철호는 노르웨이 최초의 한국인이었고, 딸들은 말하자면 '이민 2세대'라 할 수 있었는데, 그런 개념 자체가 없었기 때문이다. 그렇긴 하지만 철호의 딸들이 피부색이 다르고 머리카락과 눈동자 색이 더 짙다고 해서 차별대

우를 받지는 않았다. 그리고 철호도 자식들이 어디 가서 놀림받지 않도록 잘 가르쳤다.

어찌됐건 그들은 노르웨이에 살고 있었기 때문에 다른 집과 별반 다르지 않게 지냈다. 여느 집처럼 크리스마스이브엔 돼지갈비와 미트볼에, 소금에 절인 양배추와 빨간 무를 곁들여 먹고, 후식으로는 아몬드를 넣은 쌀죽에 딸기소스를 얹어 먹었다. 가끔은 한국 음식을 해먹기도 하고, 독일 음식을 해먹기도 했지만, 평상시에는 별반 다를 것 없는 노르웨이 가정이었다.

그렇긴 하지만 부모님이 노르웨이인이 아니었기 때문에 딸들이 완전한 노르웨이인으로 자랄 수는 없었다. 노르웨이 전래동화나 동요 같은 걸 잘 모른다든가, 친구 집에 가서 새로운 노르웨이 전통음식을 맛본다든가 하는 일이 부지기수였다. 그렇다고 한국인 2세가 될 수도, 독일인 2세가 될 수도 없었다. 그저 각자의 정체성을 만들어나가는 수밖에 없었다.

"여든 살 부모가 환갑 맞은 자식을 걱정한다고 했다. 저는 다 컸다며 싫다고 해도, 부모 마음은 뒷켠에서나마 몰래 지켜봐야 편한 법이다. 자식들은 모두 제 길을 찾아 인생의 거친 바다를 항해한다. 부모는 컴컴한 밤길을 비춰주는 등대처럼, 자식 앞에 등불을 비춰주는 역할을 할 수 있을 뿐이다. 항로를 잘못 들거나 험한 파도에 지쳤을 때 돌아와 편히 쉴 수 있는 존재, 그것이 부모의 역할이라고 생각한다."

'정성을 다하는 실력자'는 사람들이
내버려두지 않는다

조그만 방에서 오직 서로만을 의지한 채 맨손으로 결혼 생활을 시작했던 라면왕 이철호는, 자신의 일에 열성을 다 쏟았고, 마침내 처음 요리 공부할 때 자신을 구박했던 20여 명의 선배들을 거느리는 주방장 위치로까지 올라선다. 기본적인 실력을 갖춘 상태에서 자기 일에 최선의 정성을 다하면, 스스로 광고하지 않아도 항상 눈여겨보는 사람이 있다는 걸 그는 깨달았다. 그 이후로 그는 항상 스카우트 제의를 받고 일자리를 선택하는 입장이 된다.

약혼식에서

1962년 12월, 철호와 안네리제는 마침내 약혼식을 올렸다. 약혼 파티는 독일 서부에 위치한 안네리제의 집에서 열렸다.

햇살과 비구름

안네리제와 철호는 1964년 6월, 독일의 라이히링겐Leichlingen에서 결혼식을 올렸다. 유난히도 햇살과 비구름, 눈물과 웃음이 자주 교차했던 날이었다.

오프닝 파티

1968년 4월, 안네리제와 철호는 마침내 자신들만의 공간을 마련할 수 있었다. 이를 축하하기 위해 그들은 본Bonn 근처에 위치한 위르딩엔Ürdingen의 트뢰델마르크트Trödelmarkt 레스토랑에서 파티를 열었다.

철호, 안네리제, 그리고 막내 이리나. 1977년 9월의 모습.

세 자매 소냐(7살), 이리나(2살), 그리고 안냐(10살)의 모습. 오슬로의 함메르스타Hammerstad 거리에 위치한 집에서 1977년 8월에 찍은 사진. 성장 후 안냐는 소아과의사, 소냐는 유명 요리사, 이리나는 기자가 되었다.

PART 3
새로운 사업의
준비 단계

구름 없는 태양은 사막을 만든다

그래도 다시 한 번

성공의 끝을 잡고

Never ever
give up !!

Mr. Lee

구름 없는 태양은 사막을 만든다

인생에서 가장 큰 즐거움은
"당신은 할 수 없어"라고 남들이 말하는 것을 해내는 것이다.

— 월터 배저홋, 영국의 경제학자

늙고 병들면 쓸데없어지고 저승길에 한 보따리 챙겨갈 수 있는 것도 아닌 허망한 돈인데, 사람들은 왜 그렇게 돈에만 욕심을 낼까? 인생과 비즈니스에서 가장 중요한 것은 돈이 아니라 최선을 다했을 때 오는 성취감과 행복감이다.

●● 성취에 끝없이 갈증하라

1980년대 초만 하더라도 노르웨이 가정의 일반적인 저녁 식사 상차림엔 주로 미트볼과 감자가 올랐다. 하지만 시간이 흘러 차츰 노르웨이 가정식에도 변화가 일기 시작했다. 처음으로 이들 식탁에 선을 보인 외국 음식은 비교적 손쉽게 만들 수 있는 것들이었다. 이를테면

햄버거나 냉동피자 같은 것들이 변화된 식탁의 첫걸음이었다.

이때 철호는 변화하는 노르웨이 식탁에 '주'가 될 요소를 찾으려 혈안이 돼 있었다. 그는 기회만 생기면 새로운 아이디어를 냈고, 언젠가는 성공하리라는 굳은 믿음을 가지고 있었다.

"부자나 가난한 사람이나, 남녀노소를 막론하고 음식은 삶에 필수적인 요소다. 그러니 많은 사람이 좋아하는 음식을 찾기만 한다면 반드시 성공할 수 있어."

그는 묄하우센을 관리하는 일 외에 개인적으로 무역을 몇 년째 하고 있었다. 침실에 있는 책상에서 그는 '리Lee 무역'이라는 이름으로 자그마한 사업을 따로 했고, 안네리제는 그런 남편을 틈틈이 도왔다. 철호는 이 사업을 통해 주로 한국에서 물품을 수입했으며, 후에 상호명을 '코리아 엑스포Korea Expo'로 바꿨다.

1970년대 인삼을 수입한 것이 '리 무역'의 첫 거래였다. 인삼의 효능이야 두말할 것 없고, 특히 한국산 인삼은 그 품질이 좋기로 더욱 유명했다. 철호는 곧 '노르웨이 인삼 대부'로 불렸고 인삼의 효능은 입소문을 타고 퍼져나갔다. 각종 일간지의 보도와 직접 인삼을 먹어본 노르웨이 사람들의 홍보로 지속적인 판매가 이뤄졌다.

그러던 1970년대 말, 노르웨이에서 인삼이 의약품으로 등록되었다. 때문에 노르웨이 의약국의 허가가 있어야만 인삼 유통이 가능해졌으며, 일반인들은 이를 약국에서만 구입할 수 있게 되었다. 결국 모든 인삼 제품의 유통은 정부의 권한으로 넘어갔고, 개인이 이익을 보는 것은 거의 불가능해졌다. 앞으로 더 발전할 가능성이 농후한 사업이었지만, 결국 철호는 인삼 사업에서 손을 놓을 수밖에 없었다.

코리아 엑스포는 한국 전통 제품만을 수입했던 것은 아니었다. 종이로 만든 요리사 모자, 일회용 장갑, 양말 등도 수입 상품 리스트에 있었다. 철호는 특히 요리사 모자로 꽤 짭짤한 이득을 봤다. 품질이 뛰어났을 뿐만 아니라 일회용이었기 때문에 지속적인 수요가 있었다. 일회용 장갑 또한 등굣길 '휴지줍기'를 하는 학생들에게 나누어주는 용도로 많이 팔려나갔다. 반면 양말은 큰 성공을 거두지 못했다. 일반적인 양말이 아니라 발가락 양말이었는데, 아시아 사람들과는 달리 노르웨이 사람들은 그다지 큰 관심을 보이지 않았다. 한번은 큰 양말 체인점에서 대량주문을 한 적이 있었다. 그런데 얼마 지나지 않아 그 회사는 부도가 났고, 주문했던 발가락 양말들은 철호가 재고로 떠맡을 수밖에 없었다.

뫼하우센의 경영인이라는 직분을 유지한 채, 개인무역까지 해가며 몇몇 상품으로 성공을 거뒀음에도 불구하고 철호는 늘 새로운 일을 찾았다. 결국 더 큰돈을 벌기 위한 것이 아닌, 스스로 무언가를 이루어내려는 일종의 집념이었다.

● 눈앞에서 놓친 기회

어느 날 저녁, 철호는 상당히 들뜬 모습으로 퇴근을 했다. 무언가 큰 일을 눈앞에 두고 있는 사람처럼 안절부절못했다. 마치 성공의 지름길 앞에 서 있는 사람처럼 보였다.

온 가족이 식탁 앞에 모여 앉았다.

"이게 '타코'라는 음식인데, 미국에서 직수입한 거야. 원산지는 아마 멕시코일 텐데, 미국에서 아주 큰 인기를 끌었거든. 거기서는 저녁마다 이걸 먹는대."

철호는 가족들이 시식하게 될 '타코'라는 음식이 노르웨이의 식생활을 완전히 바꿔놓을 수 있을 것이라 믿었다. 그리고 가족들에게 시험해보기 위해 퇴근길에 사온 재료들을 다듬고 볶았다. 요리는 언제 끝날지 알 수 없었다. 철호는 봉지에 적힌 조리법을 몇 번이나 읽어가며 순서대로 차근차근 만들어나갔다. 우여곡절 끝에 '또띠아'라 불리는 옥수수 팬케이크를 데우는 것을 마지막으로 요리가 완성되었고, 이제 가족들의 시식만 남겨놓은 상황이었다.

"자, 이제 여기 뭐가 적혀 있는지 한번 볼까?"

철호가 설명서를 읽는 대로 가족들이 따라했다. 먼저 또띠아에 익힌 고기를 얹고, 그 위에 잘게 썬 양파와 옥수수, 샐러드, 살사소스와 사워크림을 얹었다. 마지막으로 제일 위에 잘게 썬 치즈를 뿌려놓고 보니 또띠아 위에는 재료가 수북이 쌓여 있었다.

"자 이제 맛을 보렴."

"포크랑 나이프도 없이 그냥 먹어요?"

안네리제가 물었다.

"이 음식은 손으로 먹는 거야. 멕시코 사람들처럼 말야. 미국에서도 그렇게 먹는대."

철호는 여전히 잔뜩 기대하고 있는 표정이었지만 가족들은 난감해했다. 일단 한 입 베어 물긴 했지만 맛도 별로였고, 무엇보다 흘러내리는 재료들을 감당하기 힘들었다. 식탁 위는 전쟁터를 방불케 했다. 입가로 채 가져가기도 전에 양파와 샐러드, 토마토 등이 우수수 떨어졌고, 손에 묻은 소스와 치즈 때문에 냅킨이 모자랄 지경이었다.

"철호 씨, 멕시코 사람들이 손으로 음식을 먹는다지만, 우리까지 무턱대고 따라하기엔 좀 무리가 있는 것 같아요. 이런 음식에 익숙하지도 않고. 당신 생각은 어때요?"

안네리제는 혹시 철호가 실망할까 싶어 차분하게 얘기했다. 철호는 아무 대답도 없었다. 정말 생각을 잘못한 것인지 판단이 서지 않았다. 타코가 노르웨이에서도 크게 인기를 끌 수 있을 거라 생각했는데 눈앞에 보이는 것은 전쟁터를 방불케 하는 식탁과, 손과 얼굴에 소스를 잔뜩 묻힌 채 자신을 바라보는 세 딸들뿐이었다. 안네리제의 말에는 틀린 것이 없었다. 철호의 가족은 그날 처음이자 마지막으로 타코를 먹었다.

그로부터 5년 후, 타코는 토요일 저녁의 특별식으로 노르웨이 식탁에 등장했다. 타코를 만드는 데 쓰이는 재료들은 더 이상 생소한 것이 아니었고, 일반 슈퍼에서도 손쉽게 구할 수 있었다. 만일 철호가 당시 그 사업을 시작했다면 큰 성공을 거두었을 수도 있다. 하지만 그는 거의 손에 잡힐 듯했던 성공을 놓친 데 낙심하지 않았다. 이미 새로운 프로젝트를 계획하고 있었기 때문이다. 지난 일을 교훈 삼아 새로운 사업에 관해서는 가족들에게 일언반구도 꺼내지 않았다.

●● 돌이킬 수 없는 이별

철호는 일전에 안네리제와 함께 한국을 방문했을 때 라면을 처음으로 먹어보았다. 서울 을지로6가, 허름한 뒷길에 있는 쓰러져가는 식당에서 맛본 라면이었다. 뜨거운 물에 끓인 쫄깃쫄깃한 면발과 짭짤한 국물은 철호의 입맛을 단숨에 사로잡았다. 그는 노르웨이로 돌아오는 길에 라면 몇 박스를 구입했다. 그 라면 박스들은 몇 년째 철호의 부엌 찬장에 자리를 지키고 있었다. 라면 정도면 노르웨이 사람들의 입맛도 반드시 사로잡을 수 있을 것이라 생각했다.

라면의 꿈을 실현시키기까지는 수년이 걸렸고, 그동안 철호는 사업계획을 세우느라 뜬눈으로 밤을 지새운 적도 많았다. 그는 날이 갈수록 노르웨이에 라면을 소개하려는 자신의 계획이 자리를 잡아가고 있다는 것을 알게 모르게 느낄 수 있었다. 철호는 이른 아침부터 밤늦게까지 일을 했다. 하루에 12시간 일하는 것은 보통이었다. 그는 아침 8시쯤 직장으로 가서 오후 6시경에 집으로 돌아왔다. 그리고 저녁이 되면 개인 무역회사 일을 하기 위해 책상 앞에 앉아 시간을 보냈다.

아내 안네리제는 바쁜 철호의 몫까지 대신해 집안일을 챙겼다. 그녀는 그래픽 디자인을 전공했고, 이미 수년 전부터 광고 회사에서 많은 경력을 쌓아왔다. 하지만 아이를 낳은 후부터는 바깥일을 하기가 쉽지 않았다. 세 명의 아이를 키우는 것은 많은 시간과 노력을 요구했다. 그녀는 음식을 만드는 일에서부터 가정 경제를 꾸리는 일, 집 안팎 청소는 물론 아이들을 차로 학교와 유치원에 실어나르는 일도 했다. 아이들의 뒤를 따라다니며 이것저것 챙기다 보면 하루는 금방 지나가버렸다.

안네리제는 철호가 항상 일을 필요 이상으로 많이 하는 데 가끔 불평을 쏟아내기도 했다. 그럴 때면 철호는 "내가 누구 때문에 일을 하는지 알기나 하오?"라며 소리를 되지르곤 했다. 둘은 성격이 급한 편이었다. 그래서 둘이 말다툼을 할 때면 여기저기 방문 닫히는 소리가 크게 들리기 일쑤였다.

1981년, 철호와 안네리제는 여름이 되면 함께 한국을 다시 방문하기로 했다. 그런데 여름이 점점 가까워오자 안네리제의 건강이 악화되기 시작했다. 심한 기침을 계속하는 바람에 병원을 찾았더니, 의사는 경미한 폐렴 같다며 치료를 권했다. 그리고 증상이 가볍긴 하지만 한국 여행은 자제하는 것이 좋겠다고 해서, 의사의 권고에 따라 그들은 여름 내내 집에서 시간을 보냈다.

그로부터 몇 달 지나지 않아, 안네리제는 암 선고를 받았다. 철호는 아내가 암에 걸렸다는 사실을 믿을 수 없었다. 시간이 지나면서 철호는 차차 현실을 받아들였고, 그들의 일상에 변화가 오기 시작했다. 병원을 방문하고, 입원과 퇴원을 되풀이하며 항암치료를 받는 등 철호는 안네리제에게 맞추어 자신의 계획도 변화시켜나갔다.

철호는 안네리제가 병원에 입원해 있는 기간에도 그녀를 의지하고 그녀에게 조언을 구했다. 그는 매일 출근 전과 퇴근 후 병원에 있는 아내를 찾아가 직장과 집에서 있었던 일을 세세히 이야기해주곤 했다.

그녀는 긍정적인 생각으로 병을 이겨내려 애썼고 언젠가는 건강을 되찾아 퇴원을 할 수 있을 것이라 믿었다.

병은 더욱 악화되었지만 그녀는 결코 삶을 포기하려 하지 않았다. 4년 동안 물리치료와 운동을 병행하면서 힘들어했지만 건강을 되찾겠다는 의지 하나만큼은 누구에게도 뒤지지 않았다. 하지만 암이라는 무서운 병 앞에서는 역부족이었다. 그녀는 걷는 것조차 힘겨워하는 지경에까지 이르렀다. 결국 1984년 8월, 안네리제는 생을 마감했다.

나는 원래 울보다. 누군가 고생한 얘기를 하면 그 얘기를 듣다가 기어코 울고 만다. 불쌍한 사람들을 보거나 슬픈 드라마만 봐도 누가 보거나 말거나 훌쩍거리며 운다. 그런 내가 안네리제의 죽음을 맞이했을 때는 정말 감당하기 힘들었다.

◉◉ 홀아버지로서의 역할

안네리제의 죽음으로 철호는 공황상태에 접어든 것 같았다. 아무런 희망도 없이 그냥 텅빈 육체만 허공을 떠다니는 기분이었다. 늘 모든 것이 잘되리라 긍정적인 마음가짐으로 살아가던 그도 이겨내기 버거운 슬픔이었다. 안네리제가 있을 때만 해도 모든 것이 잘되는 것 같았는데 그녀가 떠나고 나니 그 모든 것이 한순간에 사라져버린 것 같았다. 홀로 책임져야 할 것들이 너무나 크고 많아서 비현실적으로 다가 오기까지 했다. 저녁이면 텔레비전 앞에 앉아 술잔을 채우고, 안네리제와 함께했던 추억을 떠올리며 슬픔을 삭이곤 했다. 아내를 잃은 슬픔과 아픔, 그리움에 대해 입 밖에 내는 일은 한 번도 없었다. 그렇다고 딸들의 마음을 보듬어주는 아버지가 되지도 못했다. 그저 스스로의 감정을 주체할 수 없어 가슴속에 묻는 편이 낫다고 생각했다. 말을한다고 나아질 일이 아니었다. 무얼 하든 아내가 다시 되살아날 리는없으니까.

철호는 차츰 기운을 되찾았고 다시 일을 시작했다. 자기를 바라보고 있는 세 딸이 있으니 마냥 주저앉아 있을 수만도 없는 노릇이었다. 그리고 얼마 지나지 않아 다시 이른 아침에 출근해서 밤늦게 퇴근하는 생활을 반복했다. 마치 일로 슬픔을 잊으려는 사람 같았다.

안네리제가 세상을 떠난 뒤, 세딸에게도 크고 작은 변화가 생겼다. 당시 열여섯 살이었던 큰딸 안냐는 오히려 책임감 있게 상황을 받아들였다. 철호가 아무 말 하지 않았는데도 알아서 두 동생을 보살피고 집안일을 하는 등 어머니의 역할을 대신했다. 빨래를 하고, 요리 재료를 사다 나르고, 두 동생의 숙제도 꼼꼼히 챙겼다.

반대로 열세 살이었던 둘째 소냐는 내면적 혼란을 이겨내지 못하고 학교나 집 안팎에서 자주 문제를 일으켰으며, 주변의 일에 부정적이고 반항적으로 반응하곤 했다. 소냐는 세 딸 중에서 급하고 불같은 철호의 성격을 가장 많이 물려받은 딸이기도 했다. 사실 철호는 그런 소냐를 어떻게 대해야 할지 난감해했다. 어머니를 너무 일찍 잃은 탓에 아이가 반항적으로 변해가는 것 같아 마음이 아팠지만, 사춘기가 지나면 조금 나아지리라 위안을 했다.

막내 이리나는 당시 여덟 살에 불과했다. 그녀는 매우 활발하고 명랑했으며 작은 일에도 기뻐할 줄 아는 귀여운 소녀였다. 아직 뭘 모를 나이라 어머니의 죽음도 잘 이겨내는 듯했다. 그러나 점점 커가면서 어머니의 빈자리는 더욱 크게 느껴졌다. 무엇이든 잘될 거라며 힘든 일을 덮어두는 아버지를 못마땅하게 여기기도 했다.

철호는 사실 세 딸에게 이해심 많은 아버지가 되지는 못했다. 함께 모여 이야기를 나눈다든가 하는 일도 드물었고, 오히려 자신의 신념을 가르치기에 급급했다. 모든 일은 정면으로 부딪쳐야 하고, 책임 회피를 해서는 절대 안 되며, 좋든 싫든 주어진 일은 열심히 해야 한다는 등의 이야기를 받아들이기에 세 딸은 너무 어렸다.

실질적으로 철호는 바깥일에 온 신경을 쏟느라, 세 딸을 교육시키고, 함께 시간을 보내고 하는 이런저런 자잘한 집안일까지 관여하기가 쉽지 않았다. 그런 것은 차치하고라도 먹고사는 문제부터 해결해야 했던 것이다. 그래서 일주일에 한 번 파출부를 불러 집 청소와 빨래, 다림질을 맡겼고, 철호가 집을 비워도 딸들이 알아서 끼니를 때울 수 있도록, 전자레인지에 데워먹을 수 있는 음식들로 냉동실을 가득 채웠다.

사실 철호는 혼자 보내는 시간을 매우 싫어했다. 세 딸과 함께 있을 때면 온 집안은 북적북적했고 소란스럽기 그지없었다. 어쩌면 그런 아이들을 보며 외로움을 이겨냈는지도 모른다. 그에게 새로운 아내를 맞는 것은 생각도 할 수 없는 일이었고, 그저 평생 그렇게 홀로 지내리라 다짐했다. 하지만 세상일은 알 수 없는 법, 그로부터 3년 후 새로운 인연을 만나게 된다.

최선을 다했을 때 오는 성취감이 곧 '행복'이다

뮐하우젠 경영인 직분을 유지한 채 개인 무역까지 하며 몇몇 성공을 거뒀음에도, 라면왕 이철호는 그 자리에 안주하지 않고 늘 새로운 도전 거리를 찾아 나섰다. 그의 목표는 더 많은 돈을 버는 것이 아닌, 스스로 무언가를 이뤄내려는 집념이자 성취감이었기 때문이다. 성공한 사람들에게 있어 행복이란 '최선을 다했을 때 오는 성취감'이다.

그래도 다시 한 번

나에게 혼자 파라다이스에서 살게 하는 것보다
더 큰 형벌은 없을 것이다.

— 괴테, 독일의 작가, 철학자 겸 과학자

산은 오르막이 있으면 반드시 내리막이 있다. 인생도 항상 편한 길로만 갈 수는 없다. 오르막 다음엔 내리막이 있고, 궂은 날 다음엔 맑은 날이 있다. 맑은 날만을 기대해선 안 된다. 너무 햇볕만 비치다가는 농사를 망치게 된다. 인생 농사도 마찬가지다.

●● 우리들의 낯선 조국

1987년 여름, 철호는 오랫동안 꿈꿔오던 일을 이룰 수 있었다. 아이들을 데리고 한국에 방문하게 된 것이다. 당시는 냉전의 기운이 사라지기 전이라 유럽에서 아시아로 직항하는 비행기는 거의 찾아볼 수 없었다. 때문에 대서양을 건너 알래스카를 경유한 후에야 겨우 한국 땅에 발을 디딜 수 있었다. 6월의 한국 날씨는 철호 가족들에겐 난생 처음 경험하는 것이었다. 높은 온도와 습도 때문에 그들은 금세 땀으로 흠뻑 젖어버렸다.

철호는 이마에 흐르는 땀을 연신 닦아내면서도 입가에는 미소를 잃지 않았다. 이 여행을 위해 얼마나 오랫동안 준비했던가. 네 사람의 비행기표 가격만 하더라도 엄청난 액수였다. 일단 철호는 아이들을 데리고 고향에 내려가 고향집을 보여주고, 친지들에게 인사를 시킬 생각이었다.

그들은 공항에서 택시를 타고 서울로 향했다. 수백만 명이 살고 있는 도시는 습기와 스모그로 가득 차 있었다. 저 멀리 보이는 높은 건물은 회색빛 안개에 묻혀 잘 볼 수 없을 정도였다. 다음 해에 올림픽을 개최할 예정이었기에 도시 곳곳에는 새로운 건물을 짓는 모습도 많이 보였다. 높은 현대식 건물 옆에 낡고 오래된 구식 건물이 나란히 자리하고 있는 모습, 그 대조적인 광경은 세 딸에게 낯선 풍경이었다. 어디를 가든 과거의 가난과 현재의 호화로움이 공존하고 있었다. 그런 광경은 철호에게도 마찬가지로 낯설게 느껴졌다. 지난번 한국을 방문했을 때와는 너무도 달라진 모습에 넋을 잃었다. 한국의 현대화는 너무나 빠른 속도로 이루어졌던 것이다.

그렇게 서울에서 잠시 머문 뒤, 철호는 딸들을 데리고 천안의 고향 집으로 내려갔다. 서울에서 멀어질수록 차츰 눈에 익은 풍경이 나타나기 시작했다. 고층 건물은 거의 보이지 않았고, 8차선의 고속도로도 어느새 좁은 길이 돼 있었다. 서울을 제외한 나머지 도시들은 아직 예전의 모습을 어느 정도 유지하고 있는 듯했다. 이내 논밭 주변에는 아이들이 뛰어노는 모습이 보이고, 푸른 산과 들이 눈앞에 펼쳐졌다. 고향에 다다른 것이다.

⬤⬤ 세 딸의 한국 체험

천안의 고향집은 철호의 큰형이 물려받아 자리를 지키고 있었다. 철호는 가족들과 다시 만난 기쁨에 눈물을 흘렸다. 철호의 딸들도 처음 만난 사촌들과 인사를 나누었다. 대부분 영어를 어느 정도 해서 인사를 나누는 데는 불편함이 없었다.

가족들은 철호 식구들을 맞이하기 위해 며칠 동안을 내리 준비해 잔치를 열었다. 뒷마당에는 푸짐한 음식이 차려졌고, 대식구가 모여 와자지껄한 풍경을 연출했다. 그런데 그 자리를 채우지 못한 사람이 한 명 있었다. 바로 철호의 어머니였다. 그녀는 철호 가족이 한국에 도착하기 바로 몇 주 전에 세상을 떠났다고 했다. 돌아가시기 전에 병세가 좋지 않았지만 큰형은 철호에게 그 사실을 알리지 않았다. 멀리 있는 작은아들이 할 수 있는 일은 없다고 생각했기 때문이다. 철호는 안타까움에 연신 눈물을 훔쳤다.

1987년 여름의 한국 방문은 기억에 남을 만한 여행이었다. 세 딸은 그 여행을 통해 서로 다른 두 문화 사이에서 어떻게 균형을 잡아야 할지 조금이나마 배울 수 있었다. 또한 노르웨이에서 보지 못했던 보다 한국적인 아버지의 모습을 접하게 되었고, 평소 아버지가 했던 말들을 어느 정도 이해할 수 있게 되었다.

철호는 한국에 있는 동안 매일같이 세 딸에게 해야 할 일들과 하지 말아야 할 일들에 대해 주의를 줬다. 산사에 방문할 때의 옷차림이라든가 젓가락을 사용해 음식을 먹는 방법, 주변 사람들에게 예의 바르게 대하는 법 등에 관한 것이었다. 노르웨이의 생활과 가장 큰 차이점은 호칭이었다. 노르웨이에서는 어른 아이 할 것 없이 간단하게 이름만 부르면 되었는데, 한국에서는 고모나 이모, 큰아버지, 삼촌, 언니, 오빠 등의 호칭이 따로 있었다.

철호는 세 딸이 한국문화와 관습에 최대한 적응할 수 있도록 세세하게 신경을 썼다.

"친척들이랑 함께 길을 가다가 예쁜 옷이나 가방이 있다고 해서, '와, 저거 예쁘다' 하고 이야기하면 안 된다. 너희는 그냥 단순히 예뻐서 말을 꺼냈을지라도 친척들은 사주려고 할 거야. 그러니까 여기저기서 갖고 싶은 것이 보인다고 해서 함부로 입 밖에 내서는 안 된다."

철호의 가르침은 꼭 돈과 관련된 것만은 아니었다. 주로 사람과 사람 사이에 지켜야 할 기본적인 예의에 관한 것들이었다. 어쩌면 철호의 사고방식은 1950년대 중반을 끝으로 멈춰 있는지도 몰랐다. 때로는 지나치다 싶을 만큼 세세한 부분까지 신경을 썼기 때문이다. 그리고 당시 식구들이 쓰지 않는 구식 단어를 사용하기도 했다.

천안에 있는 2박 3일 동안 철호와 세 딸은 아침부터 저녁까지 바쁜 나날을 보냈다. 밥은 주로 집에서 먹었는데, 한국의 식사문화도 그들에겐 생소하게 다가왔다. 모두 한 상에 둘러앉아 각자 자기 그릇에 먹을 만큼 밥을 가져다가 먹는다. 그리고 서로 다른 갖가지 음식을 접시 위에 올려두고 각자 조금씩 가져와 먹는 것이 특징이었다. 가끔은 열 개에서 스무 개의 서로 다른 반찬이 상에 오를 때도 있었다. 전통대로라면 남자들이 먼저 먹고, 그 뒤에 여자들이 먹는다지만, 그들은 손님이었기 때문에 남자들과 함께 먼저 식사를 했다.

밤이 되면 낮에 거실로 사용했던 바닥에 요를 깔고 잠을 잤다. 무더운 여름밤이었기에 달리 이불이 필요 없었다. 베개는 쌀겨로 채워진 직사각형의 주머니였는데, 철호의 딸들에겐 다소 딱딱해서 잠드는 데 오히려 방해가 됐다. 그래서 가져온 옷가지들을 꺼내 둘둘 뭉친 다음 그것을 베개 삼아 잠에 들곤 했다. 철호가 어린 시절 그랬던 것처럼, 세 딸도 그 집에 그렇게 누워 여름밤 창밖에서 들려오는 여치 소리에 귀를 기울였다.

철호와 세 딸이 천안을 떠나야 하는 날이 되었다. 그들은 노르웨이로 돌아가기 전 다시 천안에 들를 기회가 없었기 때문에 사실상 가족들과 마지막 인사를 나누는 날이기도 했다. 철호와 천안의 가족들은 언젠가 다시 보리라는 약속을 하며 아쉬움을 달랬다.

철호는 천안을 떠난 뒤, 딸들에게 한국의 곳곳을 구경시켜주었다. 삼국시대 왕들의 무덤과 사원들, 박물관과 놀이동산 등도 가고, 가장 큰 항구도시인 부산에도 가보았다. 설악산에서는 산꼭대기에 자리한 약수터에서 얼음처럼 차가운 물도 마셔보았다. 그리고 남북의 경계선

인 DMZ에도 가보았다. 휴전선 주변의 분위기에서 팽팽한 긴장감을
느낄 수 있었다. 양쪽 나라의 경계선에는 무장한 군인들이 줄을 지어
있었고, 그 모습은 마치 심리전이라도 펼쳐지는 것처럼 보였다.

● 새로 맺은 인연

철호와 세 딸은 그렇게 일주일 동안 대중교통을 이용해 한국의 이
곳저곳을 구경한 뒤 다시 서울로 향했다. 서울에서는 거의 매일 저녁
식사 초대를 받았기에 서울의 최고급 호텔과 레스토랑은 거의 다 가
볼 수 있었다.

어느 날 저녁, 철호는 유년시절 가장 친했던 친구를 만나기로 했다.
여느 때와 다름없는 저녁식사 초대였는데 철호는 유독 외모에 신경을
쓰는 듯했다. 맏딸인 안냐도 왠지 안절부절못하는 듯한 느낌을 받았
다. 둘째 소냐와 막내 이리나만 아무것도 모른 채 여느 때와 다름없이
행동했다.

서울의 한가운데 자리한 고급스러운 저택에 도착한 그들은 그 집
식구들과 서로 일일이 소개를 한 뒤, 거실에 자리를 잡고 앉았다. 얼마
지나지 않아 초록 드레스를 차려입은 한 젊은 여성이 자신의 이모뻘
되는 여인과 함께 모습을 드러냈다. 그 둘은 거실에 자리를 잡고 앉아
철호의 식구들과 저녁 내내 시간을 함께 보냈다. 젊은 여성은 철호의
농담에 조용히 미소만으로 응답했고, 이모뻘 되는 여인은 환하게 웃

었다. 함께 이야기를 나누는 동안 철호와 이모뻘 되는 여인은 상당히 가까워진 듯했다.

숙소로 돌아가던 길, 철호는 무언가 매우 만족한 듯한 모습이었다.

"일이 잘된 것 같아요, 아버지."

안냐가 말했다. 안냐는 그날 저녁 아버지가 무슨 생각을 하고 있는지 이미 알고 있는 듯했다. 그날 저녁식사는 이를테면 맞선이나 다름 없었던 것이다. 철호의 친구는 홀로된 그에게 새로운 짝을 소개해주 었고, 소냐와 이리나만 영문을 모른 채 그저 멍하니 서 있었다.

그녀의 이름은 혜정이었다. 철호는 그녀에게서 꽤 좋은 인상을 받은 듯했다. 둘은 며칠 후 다시 만나기로 했고, 세 딸도 그 자리에 함께 참석하기로 약속이 되었다. 그녀가 약속 장소에 나타나자 철호는 벌떡 일어나 그녀를 맞았다. 그런데 그날 입었던 초록 드레스를 다시 입고 나타난 그녀는 철호가 생각하던 그 사람이 아니었다. 그래서 예의를 갖추어 인사를 건네면서도 영문을 모르겠다는 표정을 지었다.

'혜정 씨는 왜 안 나온 걸까?'

사실 혜정은 바로 그의 눈앞에 서 있는 젊은 여인이었다. 알고 보니 철호가 처음 만난 날 저녁 내내 즐겁게 대화를 나눴던 사람은 바로 혜정의 이모였다. 그녀는 자신의 조카인 혜정을 철호에게 소개해주기 위해 데리고 나왔으며, 철호는 그것도 모른 채 계속 혜정의 이모와 대화를 나누었던 것이다. 그는 큰 오해를 했다는 사실에 짐짓 놀랐지만, 혜정을 다시 한 번 바로 보려고 노력했다. 첫 만남에서 수줍어하던 모습을 떠올리며 그것도 매력일 수 있겠다고 생각했다.

그해 여름, 철호는 쉰 살이 되었고 아내를 잃고 홀로 지낸 지 3년이 흘렀다. 혜정은 그보다 열일곱 살이나 어렸지만 철호나 그 딸들과 함께 지내는 데 조금도 불편함을 느끼지 않았다. 다행히도 영어를 잘해서 의사소통에도 무리가 없었다.

철호는 혜정에게 자신이 오해했던 이야기를 털어놓았고, 세 딸은 그 이야기를 들을 때마다 웃음을 참지 못했다. 그렇게 중요한 일을 앞두고 어떻게 그런 오해를 할 수 있었는지 다시 생각해도 어이가 없었다. 철호는 세 딸과 함께 노르웨이로 돌아간 뒤에도, 혜정과 여름 내내 연락을 하며 지냈고, 곧 결혼을 하기로 결심했다.

1987년 9월, 철호는 홀로 한국을 방문해 혜정과 함께 서울에서 간략하게 식을 올렸다.

● 심리 전쟁

둘의 결혼생활이 결코 쉽지만은 않았다. 혜정은 노르웨이로 이사를 했고, 낯선 문화에 적응하고 새로운 언어를 배우느라 꽤 많은 고생을 했다. 노르웨이식의 자잘한 일상을 이해하는 것도 쉽지 않았다. 이를테면 차 지붕 위에 올리는 스키박스를 단 한 번도 본 적이 없던 혜정은 철호에게 그것이 무엇인지 물었다.

"겨울에 누군가 세상을 떠나면 노르웨이에선 너무 추워서 장례를 치르기가 힘들다오. 땅이 얼어 파내려가기도 힘들고…. 그래서 겨우내 시체를 제대로 보관할 만한 경제적 여유가 없는 사람들은 저렇게 기다란 상자에 담아놓곤 하지요. 여기서 제일 가난한 사람들이 선택하는 방식이라오. 그래서 사람들은 저 상자에 대해 입 밖에 내는 것을 꺼려해요. 일종의 금기사항인 거요."

혜정은 아무 말도 하지 않았다. 그리고 스키박스를 보며 이동식 관이라고 굳게 믿었다. 어느 날 그녀는 철호에게 왜 어떤 상자들은 다른 것들보다 두 배나 더 넓은지 물었다. 그러자 그는 2인용 관이라고 대답해주었다. 혜정은 아무리 생각해도 이상했지만, 이에 대해 대놓고 말하는 것이 금기시돼 있다는 남편의 말에 그저 마음속으로만 생각하고 말았다.

그러던 어느 날 철호와 가족들이 주말여행을 떠났다. 호텔 앞 주차장에는 곳곳에 스키박스를 장치한 차들이 가득했다. 혜정은 셀 수 없이 많은 스키박스를 보고 입을 다물지 못했다. 그때 바로 옆에 세워둔 차의 주인이 스키박스를 열어 몇 벌의 스키를 꺼냈고, 철호는 더 이상 참지 못하고 웃음을 터뜨렸다. 혜정은 철호에게 매섭게 화를 냈고, 한동안 분을 삭이지 못했다.

혜정은 낯선 나라에서 새로운 삶에 적응하느라 큰 어려움을 겪었다. 신혼이긴 했지만 딸이 셋이나 있었으니 일상적인 삶과 거리가 있었던 게 사실이다. 특히 둘째 소냐와 막내 이리나 때문에 애를 먹었다. 소냐와 이리나는 혜정에게 엄마로서의 권리를 인정하지 않으려 갖은 애를 썼다. 그녀가 무슨 말을 하든 반항과 거부로 일관했고, 이는 거의 심리적 전쟁이나 다름없었다.

　　그런 아이들의 태도를 바로잡으려 철호는 날마다 꾸중을 했고, 혜정을 엄마로서 존중해야 한다고 입버릇처럼 말했다. 그러나 소냐와 이리나의 태도는 좀처럼 달라질 기미를 보이지 않았다. 하지만 그렇게 달라질 것 같지 않던 소냐와 이리나도 시간이 흐르자 차츰 혜정을 인정하기 시작했다. 그리고 이제 혜정은 그들에게 없어서는 안 될 존재가 되었다.

Mr Lee's
Success
Mind

인생에는 오르막과 내리막이 있음을 받아들여라

라면왕 이철호는, 소중한 아내 안네리제를 잃는 크나큰 상실감을 경험했지만, '인생에서 항상 맑은 날만 기대해서는 안 된다'는 철학을 견지하며 궂은 날 다음의 맑은 날에 대한 희망의 끈을 놓지 않았다. 세 딸을 홀로 양육하며 고군분투하던 그는 50세에 새 인연을 만나 결혼에 이르게 된다.

성공의 끝을 잡고

진정으로 만족스런 삶을 사는 유일한 방법은
스스로 위대하다고 믿는 일을 하는 것입니다.
그리고 위대한 일을 하는 유일한 방법은
여러분이 하고 있는 일을 사랑하는 것입니다.

— 스티브 잡스, 애플사 CEO

좋은 인간관계를 바탕으로 한 비즈니스에는 신뢰와 융통성
이 있다. 혹시 문제가 생겨도 '저 사람이 나를 속이려고 그러
나?'하는 쓸데없는 의심을 하지 않아도 된다. 서로를 충분히
알고 신뢰하는 관계에서는 서로 충분한 양해와 양보가 가능하
기 때문이다.

●● 대박 레스토랑의 비결

철호는 오슬로 시내 중심에 있던 카페 묄하우셴 레스토랑의 경영인
으로 고용돼 있었다. 해가 거듭되면서 철호는 레스토랑의 이윤을 올
리는 데 괄목할 만한 성과를 거두게 되었다. 이어서 그는 묄하우셴 그

룹의 최고경영진에게 일반적인 고정연봉이 아닌 이윤실적에 따른 퍼센트를 바탕으로 연봉을 줄 것을 요구했다. "난 나의 능력을 믿었기 때문에 실적에 따른 수입을 요구했지. 내가 열심히 일해서 레스토랑이 높은 이윤을 내면 나도 그에 합당한 대가를 받을 자격이 있다고 믿었어. 만약 레스토랑의 실적이 부진하면 그건 내 잘못이기 때문에 수입이 적어도 할 말이 없다고 생각했지."

최고경영진은 그의 요구를 받아들였다. 그런데 아쉽게도 그 첫 해에는 실적이 좋지 않아 철호는 레스토랑 수입의 12.5퍼센트에 불과한 금액을 연봉으로 받았다. 1960년대 말, 몇 해 동안 안네리제와 철호 부부는 그간 저축해놓았던 돈을 써가며 생활하는 수밖에 없었다. 하지만 시간이 흐르면서 레스토랑의 실적은 점점 좋아졌고 철호의 연봉도 이에 발맞추어 상한선을 그리기 시작했다. 레스토랑은 점점 커졌고 이윤도 눈에 띄게 오르자, 최고경영진은 철호에게 새로운 고용협상을 요구했다. 그 결과, 이어지는 두 해 동안 철호의 연봉은 레스토랑 이윤의 10퍼센트로, 그리고 그 다음 해에는 7.5퍼센트로 떨어졌다.

오슬로 중심에 자리한 카페 묄하우센 레스토랑은 점점 인기를 끌었고 근처에 자리한 외무부에서 일하던 수많은 정부요원들이 고정적인 손님으로 큰 몫을 차지했다. 저렴한 가격에 격식 있는 음식을 맛볼 수 있다는 소문도 점점 널리 퍼져나갔다.

철호는 재료의 구매 가격을 정확히 예측하고 계산한 뒤, 원가에 맞춰 최대한 저렴한 가격으로 매일 육류와 생선 한 점씩을 고정적으로 소개했다. 일종의 '오늘의 메뉴' 같은 것이었다. 손님들의 입맛은 참

다양해서 가격이 비싸더라도 일반 음식을 주문하는 사람들도 꽤 있었다. 매출은 일반 음식으로 올리고, '오늘의 메뉴'를 통해 전반적으로 가격이 저렴하다고 광고했다.

철호는 당시엔 좀 특별하다고 할 수 있는 판매광고도 고안해냈다.

'25크로네로 배가 터지도록 먹어봅시다!'

그는 이 특별광고와 관련해 초우초우ChowChow라는 저렴한 메뉴를 개발했고 이것은 곧 레스토랑에서 가장 인기 있는 메뉴로 자리매김했다. 돼지고기와 얇게 썬 베이컨, 생강, 파인애플, 양송이버섯, 토마토퓌레, 크림, 그리고 갖가지 양념을 넣어 끓인 일종의 찌개였는데, 쌀밥에 곁들여 나갔다. 사람들은 초우초우를 먹으러 멀리서도 일부러 찾아오는 등 그 인기는 하늘을 찌를 듯했다.

식당 운영에 있어서 나는 두 가지를 가장 중요시했다. 첫째는 친절이다. 식당은 음식과 함께 서비스를 파는 곳이기 때문이다. 불친절하고 거친 서빙은 손님들에게 불쾌감을 준다. 두 번째는 당연히 음식 맛이다. 최고의 재료로 맛있게 만든 음식을 저렴한 가격에 제공하는 것이 인기의 비결이다.

🫘 배려와 솔선수범 그 이상이 있을까

철호는 묄하우센을 책임지기 전까지는 경영인으로서의 경험을 크게 쌓지 못했다. 과거 수많은 직원들을 책임지는 입장에 서기보다는, 직원들 중 한 사람이 되기만 했던 그였다. 그런 그가 묄하우센에서는 자신만의 아이디어와 독특한 방법을 고안하여 레스토랑을 경영하는 데 온 정성을 쏟았다.

당시 묄하우센에는 직원들을 위한 식당이 따로 없었다. 그래서 그는 직원들도 손님들과 함께 레스토랑에서 식사를 할 수 있도록 자리를 마련해주었다. 직원들은 메뉴에서 자신이 원하는 음식을 선택해 공짜로 마음껏 먹을 수 있게 되었다. 하지만 자기 앞으로 나온 무료식사권을 다른 사람들에게 양도할 수는 없었으며, 레스토랑 음식을 외부로 가지고 나가서도 안 됐다. 이렇게 몇 가지 제약이 있었으나 직원들은 전보다 나아진 복지 덕분에 조금도 불평하지 않았다. 철호는 심지어 퇴직을 한 직원들도 언제든 레스토랑에서 공짜로 식사를 할 수 있도록 조치를 취했다.

철호는 또한 당시로서는 획기적이라 할 수 있는 자유 근무시간제도 도입했다. 그는 자신이 개입하지 않아도 직원들이 자발적으로 휴가기간이나 연장 근무시간을 맞바꿀 수 있도록 했다. 만약 일이 있어서 일찍 가봐야 한다거나 하면, 그 시간이 비는 다른 직원과 근무시간을 맞바꿀 수 있도록 했던 것이다.

또한 직원 중 누군가 일을 하던 도중에 갑자기 아프면 직접 집이나 병원까지 데려다 주었다. 혹시 입원이라도 하게 되면 철호는 항상 꽃다발과 케이크를 가지고 병문안을 갔다. 그러한 철호의 관심에 직원들은 늘 고마워했다.

그들은 손님이 두고 간 팁도 항상 공평하게 나누었다. 팁은 가외로 들어오는 이익이라 할 수 있기 때문에, 서빙을 맡은 직원뿐만 아니라 부엌에서 일하는 요리사들과 설거지를 담당하고 있는 견습생들까지도 포함해 함께 나누었다. 모든 이가 한마음으로 함께 일했기에 레스토랑이 유지될 수 있으므로 누구나 공평한 대우를 받아야 한다고 생각했기 때문이다.

팀워크는 정말 중요하다. 때론 능력이 뛰어난 한 개인이 큰 일을 이룰 수도 있지만, 나는 보통의 여러 사람이 모여 같은 일을 이뤄내는 게 훨씬 가치 있는 일이라고 생각한다.

어느 날 서빙을 하던 한 직원이 허둥지둥 조리실로 달려왔다. 그는 화장실의 변기가 막혀 오물이 넘쳐, 바닥에 홍수를 이루고 있다고 했다. 레스토랑은 아직 오픈 전이었고, 직원들은 상황을 점검하려 모두 급히 화장실로 향했다. 철호는 침착하게 한 남자 직원을 데리고 화장실로 간 뒤, 그에게 자신이 하는 것을 잘 보라고 일러두었다. 철호는 겉옷을 벗어던지고 양팔을 걷어올린 뒤 무릎을 꿇고 앉아 변기 속으로 팔을 쑥 집어넣었다. 물은 그의 팔꿈치까지 차올랐다. 하지만 그는 개의치 않고 손을 휘저어 변기를 막고 있던 화장지들을 건져냈다. 넘쳐흐르던 물은 금세 소용돌이를 만들며 사라졌고, 철호는 이제 바닥의 오물을 씻어내기 시작했다.

그러자 직원들은 부끄러워 어쩔 줄을 몰랐다. 철호는 직원들에게 손에 묻은 오물은 위험한 것이 아니라 더러운 것이니, 물로 한 번 씻어 버리면 그만이라고 말해주었다. 그날 이후 비슷한 일이 생겼을 때 철호가 직접 나서지 않아도, 직원들이 알아서 침착하게 해결하게 되었다. 때로는 열 마디 말보다 한 번 직접 보여주는 것이 더 큰 효과를 가져다준다는 것을 깨닫는 계기가 되었다.

나도 남 밑에서 일해봐서 잘 알지만, 세상에 누군가로부터 명령받는 걸 즐거워하는 사람은 없다. 마치 명령어 없이는 움직이지 못하는 로봇 같은 인간이 돼버릴 수도 있다. 그래서 나는 아랫사람들에게 가르쳐주고 싶은 게 있거나 지시할 일이 있으면 내 행동으로 보여주는 방법을 주로 택했다.

●● 미스터 묄하우센의 결단

시간이 흐르면서 철호는 레스토랑의 경영인으로서 큰 힘을 발휘하게 되었다. 그래서 비카에 있는 묄하우센 레스토랑뿐만 아니라, 묄하우센 그룹에 있던 체인점들을 함께 경영하기에 이르렀다. 무려 15개나 되는 카페와 레스토랑이었다. 쇠이엔Skøyen에 자리한 묄하우센 그룹의 제과공장 2층에 자신만의 사무실을 마련해 무려 186명의 직원을 책임지게 되었던 것이다.

그는 레스토랑 체인을 22년 동안 경영하면서 단 한 명의 직원도 해고하지 않았다. 직원들 중 몸이 아픈 사람이 생기면 다른 부서로 보내 좀 더 간편하고 쉬운 일을 할 수 있도록 배려했다. 가끔 일을 그만두고 싶어 하는 사람이 생기면 철호는 그들에게 조금 더 시간을 줄 테니 일을 더 해보라고 격려했고, 그래도 그만두겠다는 직원이 있으면 새 직장으로 가서 몇 달 동안 일을 해보고 돌아와도 좋다며 일종의 장기휴가를 주곤 했다.

어느 날 아침, 누군가 가게의 유리창을 깨고 들어와 돈을 훔쳐가는 일이 발생했다. 철호는 당장 커다란 포스터를 만들어 건물 외벽에 붙여놓았다.

'친애하는 도둑님! 문이 닫힌 후 필요한 물건이 있더라도 유리창을 깨는 일은 자제해주시기 바라며, 다음번엔 문이 열린 대낮에 방문해주세요. 그러면 빵과 케이크를 원하시는 대로 드리겠습니다.'

길을 지나던 사람들은 이 포스터를 보고 눈길을 떼지 못했다. 어찌나 독특했던지 신문기사로 실리기까지 했다. 그 후 그 제과점에는 도둑이 단 한 번도 들지 않았다.

결과는 대성공이었다. 내가 운영한 카페 뮐하우센 레스토랑이 오슬로의 명소로 자리잡게 되었다. 나중에 그 회사는 덴마크로 넘어갈 때까지 22년간 15곳의 체인점을 열었고 그 체인점들 모두가 흑자를 기록했다.

철호의 노력과 독특한 경영방식으로 뮐하우센 그룹은 큰 성공을 거두었다. 덕분에 철호는 당시 '미스터 묄하우센'이라는 별칭으로 불리기도 했다. 하지만 수십 년 전, 노르웨이에 첫발을 들일 때부터 철호를 알고 지내던 사람들은 여전히 그를 아투르라 부르기도 했다. 철호는 개인적으로 '미스터 리'라고 불러주었으면 하고 바랐다. 부르기 좋고, 외우기도 좋으며, 다른 사람들에게 자신을 소개할 때도 간편해서 좋았기 때문이다.

그러던 1989년 가을, 한껏 주가가 높아진 묄하우센 그룹을 덴마크 회사인 하팅Hatting이 적극적으로 인수했다. 오너의 회사 매각 결정에 실망한 철호는 사의를 표했다. 하팅의 경영진은 그에게 새로운 자리를 주긴 했지만, 그는 이미 최고의 위치에서 회사를 홀로 운영하는 데 익숙해져 있던 터라 그들의 제안이 별로 마음에 들지 않았다. 최종협상을 통해, 철호는 묄하우센 그룹 산하에 있던 다섯 개의 체인점 경영권을 얻어냈으며, 나머지 체인점에서는 손을 떼는 대가로 목돈을 마련하게 되었다.

하지만 얼마 지나지 않아 철호는 무언가 새로운 것을 시작해야 한다는 결심이 섰다. 그는 더 이상 제과점과 레스토랑 일에 관여하고 싶지 않았다. 철호는 이리나에게 당시의 심정을 이렇게 전한다.

"그때 나는 52세라는 젊지 않은 나이였음에도 다시 맨손으로 세상에 뛰쳐나온 듯한 느낌이었어. 하지만 마음을 굳게 먹었어. 잃은 것은 더 이상 생각지 않고 새로운 기회를 잡기 위해 눈에 불을 켰지."

철호는 지난 수년간 생각해왔던 것을 마침내 실행에 옮기자고 결심했다.

"고용주들은 직원의 사람 됨됨이에 따라 월급을 주지 않아. 그들은 직원들이 자신만의 노하우를 얼마만큼 발휘해서 일을 해내느냐에 따라 월급을 주지. 즉, 기업의 이윤을 얻기 위해 직원들에게 월급을 주는 거지. 만약 어떤 일을 하는 데 충분한 능력과 열성을 지니고 있는 사람이라면 타인에게 고용되지 않고도 혼자서 얼마든지 돈을 벌 수 있다는 뜻이야. 스스로의 고용주가 되어보는 것도 나쁘지 않아. 그러면 적어도 타인과의 고용 협상 등 세세한 마찰을 피할 수도 있으니까."

Mr Lee's
Success
Mind

손님에게나 직원에게나,
'신뢰'가 경영의 모든 것이다

라면왕 이철호는 뮐하우센 레스토랑의 경영인으로 일하면서, 항상 최고의 재료로 만든 최고의 음식을 저렴한 가격에 제공했고, 손님들에게 편안함과 신뢰감을 주는 서비스를 하였으며, 여러 가지 개성 넘치는 판촉 전략을 시행했다. 직원들을 다루는 방식에 있어서도 당시로서는 획기적이었던 여러 가지 새로운 시도들-자율근무제, 직원 무료식사권, 이익공유제, 솔선수범으로 가르치기, 무해고 원칙, 직원들의 대소사 직접 챙기기-을 하는 등, 신뢰를 바탕으로 한 경영을 함으로써 22년간 15곳의 체인점을 열었고 나아가 그 체인점 모두를 흑자로 운영해내는 괄목할 만한 성과를 거뒀다.

이름을 얻다

1970년대 중반, 비카Vika의 묄하우센Møllhausen 카페는 정치인들, 외무부 직원들, 오슬로 시내에서 일하는 모든 이의 만남의 장소로 우뚝 섰다.

검소한 사무실

묄하우센 카페의 부엌 뒷공간에 위치했던 철호의 좁디좁은 사무실. 1978년.

PART 4
라면왕, 미스터 리

드디어 라면이다

냅킨 위에 쓴 계약서

대표가 전면에 나서라

끝을 보기 전엔 포기하지 마라

도전은 사람을 나아가게 한다

Never ever give up !!

Mr. Lee

드디어 라면이다

결코 넘어지지 않는 것이 아니라 넘어질 때마다 다시 일어서는 것,
거기에 삶의 가장 큰 영광이 존재한다.

— 넬슨 만델라, 남아공 최초의 흑인 대통령

내 스위스 친구 중 하나는 무척 평범하게 생겼는데도 여자
꼬시기에는 귀신도 울고 갈 정도로 탁월한 능력을 가졌다. 어
느 날 그 친구에게 물었다. "너는 어떻게 그렇게 여자를 잘 꼬
시니?" 친구는 빙긋이 웃으며 대답했다. "한 번 찍어서 넘어가
는 여자는 어디에도 없어. 정말 마음에 들면 넘어갈 때까지 찍
어야지." 그때의 깨달음이, 사업을 성공으로 이끄는 데 최고의
밑천이 되었다. 내가 가져간 라면을 거들떠보지도 않고 문전박
대하던 가게 주인들을 수십 번 다시 찾아가며 나는 결국 그들
이 언젠가는 라면봉지를 뜯어보게 되리라 굳게 믿었다.

◉◉ 끝없는 모색, 궁하면 통한다

52세의 나이로 일자리를 잃은 철호는 생각지 못한 상황에 맞닥뜨린 적이 한두 번이 아니었다. 가족들을 보살피고 생계를 꾸려야 한다는 걱정을 떠나, 자신이 아무 곳에서도 쓰일 수 없다는 생각을 떨칠 수가 없었다. 때문에 하루하루가 불만스러웠다. 게으름을 피운다는 것은 생각을 해본 일이 없었던 그는 아무것도 하지 않고 하루를 보낸다는 게 너무 어색했다.

자신의 능력과 지식을 더 이상 쓸 수 없다는 생각에 삶이 무의미하게 느껴지기 시작했다. 수십 년 동안 온 힘을 바쳐 일해왔는데 남은 것은 아무것도 없는 것 같았다. 묄하우센을 떠나온 것은 스스로 선택한 일이었지만 막상 이제 묄하우센 사람이 아니라고 생각하니 되돌리고 싶기까지 했다.

하지만 철호는 절망과 걱정에 파묻혀 지내는 대신, 지금이 일종의 전환점이라 생각하고 새로운 기회를 찾으려 노력했다. 한가한 시간이 생기면 수년 동안 생각해왔던 아이디어를 현실화하기 위한 방안을 찾으려 생각에 잠겼다. 그의 머릿속에는 꽤 그럴듯한 프로젝트와 흥미로운 계획들이 적잖이 자리하고 있었다. 그리고 그런 아이디어들 중 실현 가능한 것들을 추리고 거르는 작업을 계속했다. 그 와중에도 항상 그의 머릿속을 떠나지 않던 생각이 하나 있다면, 과연 어떤 한국 상품이 노르웨이에서 성공할 수 있을까 하는 것이었다.

철호는 창의력이 뛰어난 사람이었다. 하지만 그 창의력을 실제 사업으로 구현하는 면에서는 다소 서툴렀다. 그래서 그는 오랜 친구인 존 유맨스John Youmans와 동업을 하기로 결심했다. 존은 미국에서 태어나 하버드 대학에서 문학과 정치학을 전공했으며, 후에 무역학도 공부했다. 미 공군에서 전투기 비행사로도 활약한 적이 있으며, 성인이 된 후에는 광고업계에 발을 들였고, 회사 때문에 30세가 되던 1964년 노르웨이로 이주를 하게 되었다.

존은 기업가 정신이 투철했고 진취적인 사람이었다. 그는 노르웨이의 스튜디오 모데르네Studio Moderne라는 광고회사에서 일을 하면서, 그곳에서 그래픽 디자이너로 함께 일하던 안네리제와 안면을 트고 지내다가 철호까지 알게 되었다.

1989년, 두 사람은 코리아 파트너Korea Partner라는 회사를 함께 설립했다. 당시 노르웨이에서 인삼은 의약품으로 분류되어 있었기 때문에, 약국 이외의 장소에서는 판매할 수 없었다. 때문에 개인이 인삼을 수입하거나 유통하는 것은 당연히 법으로 금지되어 있었다. 철호와 존은 인삼 수입과 관련해 다른 방법을 찾을 수밖에 없었다. 그래서 그들이 처음으로 손을 댄 물품이 바로 인삼차였다. 코리아 골드Korea Gold라는 이름으로 수입된 이 인삼차는 포장 겉면에 고대 중국 동전 문양을 그려넣었고, 그 양면에는 한문으로 철호와 존의 이름을 새겨넣었다. 금색과 붉은색의 포장은 상당히 고급스러웠다.

두 사람은 얼마 지나지 않아 인삼차를 판매하려는 체인점 한 곳과 계약을 맺을 수 있었다. 철호는 인삼차가 모두 팔리지 않으면 책임지고 재고를 회수한다는 획기적인 조건을 내걸어 컨테이너 한 대 분량의 인삼차를 공급했다. 한국에서 수입된 인삼차는 노르웨이 판매용으로 포장을 바꾸어 전국으로 유통되었다. 그러나 불행히도 인삼차 사업은 큰 성공을 거두지 못했다. 마케팅을 거의 하지 않았기 때문이기도 하지만, 인삼차가 건강에 좋다고 해도 노르웨이인들의 입맛에는 맞지 않았던 것이다.

철호와 존은 약속을 지키기 위해 재고품을 회수할 수밖에 없었다. 요즘엔 노르웨이에도 인삼차를 마시는 사람이 꽤 있지만, 당시에는 이상하고 희귀한 식품이라 여겨졌으니 시기가 맞지 않았던 것이라고 위안했다. 덕분에 경쟁업체에 시장 문을 열어준 역할만 한 셈이었다.

내가 이 정도밖에 안 되는 사람인가. 처음엔 나 자신에게 실망스럽고 화가 났었다. 하지만 어차피 내가 벌인 일은 내가 책임지지 않으면 안 된다. 산더미처럼 쌓인 인삼차를 보며, 나는 내가 가장 잘 할 수 있는 일이 뭔가를 다시 생각해보았다.

인삼차 사업의 실패는 경제적 부담뿐만 아니라 다른 실질적 문제들도 야기했다. 재고로 남은 인삼차를 어떻게 처치해야 할지가 가장 큰 문제였다. 아주 작은 티백 분량으로 포장돼 있던 인삼차는 돈으로 따지면 엄청난 가치였지만, 당장에는 처치 곤란한 애물단지에 불과했다. 철호는 밤낮으로 곰곰이 생각하다 마침내 기막힌 아이디어를 냈다. 인삼빵! 그는 인삼빵을 구워 팔아야겠다는 생각이 번뜩 들어, 한밤중에 일어나 사업계획을 세우기 시작했다. 그는 어쩔 수 없는 요리사였다. 손에 주어진 재료로 어떤 음식이라도 만들어낼 수 있는 그런 사람이었던 것이다.

인삼차 가루로 빵을 굽는다는 것은 꽤 괜찮은 아이디어였다. 단 한 가지 단점이 있다면, 인삼차가 일회용 티백으로 포장되어 있다는 것이었다. 결국 빵을 구우려면 여러 개의 티백을 뜯어 인삼 가루를 한데 모아야만 했다. 철호의 세 딸은 티백을 뜯어 인삼차 가루를 모으는 작업을 시작했고, 존의 아이들도 이 일에 동참했다. 몇 주 후, 두 집에서는 수십 킬로그램의 인삼차 가루를 모을 수 있었다.

아이들이 인삼차 가루를 모으는 동안, 철호는 인삼빵을 어떻게 만들 것인지 연구하는 데 시간을 보냈다. 철호가 제안한 배합률에 따라 한 제과점에서는 재료를 모으고 빵을 구워 전국으로 유통하는 일을 했고, 인삼빵은 큰 성공을 거두었다. 그런데 몇 년 후, 그들은 시장에서 인삼빵을 모두 회수해버렸다. 생산을 책임지고 있던 제과점에서 재료비를 아끼기 위해 인삼의 배합률을 낮췄던 것이다. 하지만 인삼빵을 회수하면서 사업을 통으로 접은 건 아니었다. 그는 비슷한 시기에 또 다른 사업을 구상하고 있었다.

절망의 순간 옛 말씀이 떠올랐다. '궁하면 통한다' 그래! 인삼빵을 만들자! 그렇게 해서 만든 것이 인삼을 원료로 한 건강빵이다. 그것으로 인삼차의 실패를 만회할 수 있었다.

◉ 중요한 건 현지화다

철호의 머릿속에는 노르웨이 시장을 장악할 만한 또 다른 물품이 하나 자리하고 있었다. 10년 전 서울의 허름한 뒷골목에서 맛봤던 짭짤하고 매콤한 라면 맛을, 그는 여전히 잊지 못하고 있었다. 철호는 김이 모락모락 나는 라면을 처음 먹었을 때의 그 순간을 떠올리며 두 눈을 지그시 감곤 했다. 입속으로 들어오는 꼬불꼬불한 면발과 함께 매콤하고 짭짤한 국물이 혀를 자극할 때의 그 짜릿함은 잊으려야 잊을 수가 없었다.

10년 전 한국에서 노르웨이로 돌아올 때 샀던 라면이 아직도 부엌 찬장에 있었다. 유통기한은 벌써 한참 지났지만 철호는 개의치 않고 봉투에 써 있는 조리법대로 라면을 끓이기 시작했다. 냄비에서 올라오는 냄새는 처음 라면을 먹었던 그날의 기억을 더욱 선명하게 만들었다.

그는 라면 한 그릇을 다 비우기도 전에 결정을 내렸다.

'이걸 노르웨이에 들여와야겠어!'

이번에야말로 성공할 수 있으리라 믿었다. 그는 지체 없이 존에게 연락했고, 존은 철호의 의견에 전적으로 동의했다.

그들은 한국의 여러 라면 제조업체들과 연락을 취해, 샘플을 보내 달라고 요청했다. 그중 삼양식품은 이미 스웨덴의 한 업체와 거래를 하고 있었기에 스칸디나비아 지역에 또 하나의 거래처를 두기 꺼려하는 눈치였다. 그래서 결국 그들은 농심과 계약을 맺게 되었고, 곧 몇 박스의 라면이 샘플 형식으로 노르웨이에 도착했다. 철호와 존은 샘플로 온 라면을 맛보고는 곧바로 수입을 결정했다.

하지만 본격적으로 수입을 하기에 앞서 해결해야 할 사항이 남아 있었다. 당시 농심은 다른 회사를 위해 라면을 제조하는 방식에서 손을 떼고 순전한 농심 상표로 수출하기를 원했다. 철호는 '농심'이라는 낯선 이름으로 노르웨이에 첫 수출을 하게 되면 만족할 만한 소비자 인지도를 얻지 못할 것이라는 점을 들어 농심 측을 설득했다.

노르웨이에서 아무도 모르는 새로운 상품을 소개하는 데 존의 마케팅 기술은 큰 도움이 되었다. 철호와 존이 가장 먼저 신경을 썼던 것은 바로 포장이었다. 상품을 어떻게 포장하면 좋을지, 어떤 문구와 그림을 넣어야 소비자의 눈길을 끌 수 있을지에 대해 끊임없이 고민을 거듭했다.

또 하나 중요한 것은 상품명이었다. 수년 동안 레스토랑을 경영하고 묄하우센 그룹의 총지배인으로 생활했던 철호는 그 세계에서 '미스터 리Mr. Lee'로 불리고 있었다. 그는 이 짧고 외우기 쉬운 별칭이 소비자에게 쉽게 다가갈 수 있을 것이라 생각했고, 이 이름이 지니고 있는 동양적 이미지가 라면을 홍보하는 데 큰 도움이 되리라 짐작했다.

결국 노르웨이로 수입된 라면은 '미스터 리'라는 이름으로 출시되었다. 하지만 상품의 겉봉에 각인된 것은 그의 별칭뿐만이 아니었다. 철호와 존은 그들의 사진도 캐릭터화해서 곁들이기로 했고 로고 디자인은 존이 직접 맡았다.

당시 오슬로의 외국인 이민자를 위한 가게에선 이미 라면을 팔고 있었으나, 그것은 모두 노르웨이어가 아닌 수출한 나라의 언어로 포장돼 있었다. 노르웨이 사람들에게 다가가기엔 다소 거부감이 있을 수 있는 그 상품들 틈에서 '미스터 리' 라면은 분명 승산이 있었다.

사장 겸 직원이 모두 두 명 밖에 되지 않았던 철호의 조그마한 회사에서는 홍보를 위해 제품사진을 찍는 것도 전문가의 손에 맡기지 못하고 직접 해야만 했다. 철호는 존과 함께 자신의 집에서 라면을 조리한 후, 하얀 접시에 담아 그 위에 당근과 파, 피망을 얹어 장식했다.

존은 베란다로 나가 카메라를 삼각대 위에 설치했다. 철호는 정갈하게 다림질이 된 하얀 조리사 옷을 입고 모자를 쓴 후, 라면 그릇을 들고 역시 베란다로 나갔다. 그는 그릇을 치켜들고 카메라 앞에서 환하게 미소를 지었다. 존은 그런 철호의 모습을 카메라에 담았다. 이렇게 찍은 사진은 노르웨이에 처음 수입된 한국 라면의 포장을 수년 동안 장식했고, 그 포장은 90년대 중반까지 명맥을 유지했다.

🌑 좌절을 아예 잊은 사람처럼

사업 초기, 그들의 앞길을 가로막은 것은 한두 가지가 아니었다. 노르웨이의 식품영양국에서는 라면 및 양념 성분이 자국 내에서 공인된 것이 아니라며 수입을 허가할 수 없다고 했다. 그래서 그들은 농심에 연락해, 노르웨이 식품영양국에서 공인하지 않은 성분들은 제외하고 제조해달라고 부탁해야 했다. 결국 이렇게 까다로운 절차를 거친 후에야 그들은 한국 라면을 수입 할 수 있게 되었다.

역할분담은 쉽게 이뤄졌다. 존은 주로 서류작업을 했고, 유통과 포장, 즉 EAN(European Article Number: 유럽 상품 코드_편집자 주) 숫자와 바코드 등과 관련된 사항을 책임졌으며, 철호는 제품의 얼굴 노릇을 담당했다. 한국 측과의 통신 및 협상도 철호가 맡은 일 중의 하나였다.

그들은 라면을 일단 3박스만 주문했다. 3박스면 모두 합쳐도 겨우 72봉지밖에 되지 않았지만 철호는 기대감에 밤잠을 설쳐가며 라면이 도착하기를 기다렸다. 그리고 라면이 도착하자마자 지체 없이 계획했던 일을 진행했다. 그는 라면박스를 옆구리에 끼고 슈퍼마켓 체인점을 돌았다. 건물과 사무실을 전전했지만 그를 반기는 이는 거의 없었다. 사람들은 이상하고 꼬불꼬불하게 생긴 라면을 들고 찾아와 끓는 물에 넣고 3분만 기다리면 끼니를 때울 수 있다고 말하는 철호를 향해 코웃음만 쳤다.

> 라면박스를 들고 슈퍼마켓 영업을 나갈 때마다 문전박대를 당했다. 문득 어렸을 적 아버님 말씀이 떠올랐다. "한 번 찍어서 넘어가는 나무는 없다. 정말 욕심이 나면 넘어갈 때까지 찍어야 한다." 아무리 문전박대를 해도 나는 굳건히 찾아가고 또 찾아갔다. 비즈니스에서 체면이나 자존심부터 세우려고 하면 아무것도 할 수가 없다.

"죄송한데 이런 게 먹을 수 있는 음식이라는 당신 말을 믿기가 어렵군요. 접시 닦을 때 쓰는 수세미 같은 걸로 배를 채우라니, 헛 참!"

철호가 라면을 소개할 때마다 슈퍼마켓 체인의 상급자들은 터무니없는 말이라며 믿으려 들지 않았다. 대부분의 사람은 철호를 예의 바르게 맞이했지만 아무도 라면을 시식하려고 하지 않았다. 공짜라 해도 그들은 고개를 저었다. 어떤 이들은 라면이 북유럽 사람들에겐 어울리지 않는 음식이라고 잘라 말하기도 했다. 비록 동양에서 인기 있는 음식이라고는 하나 노르웨이에서도 인기를 얻을 수 있다는 믿음은 애초에 가지지 않는 게 좋을 거라며 충고해 주는 이도 있었다. 철호는 그런 이야기를 듣고도 다음 슈퍼마켓을 향해 발걸음을 옮기고 또 옮겼다. 꽤 많은 곳을 다녔지만 어느 한 곳도 긍정적인 반응을 보이지 않았다. 하지만 그는 포기하지 않고, 칼 요한 거리에 있는 올루프 로렌첸 Oluf Lorentzen 체인을 향했다.

그곳의 경영인은 철호를 보자마자 그가 무슨 말을 할지 들어보지도 않은 채 시간이 없다며 손사래를 쳤다. 철호가 잠시만 시간을 내달라고 부탁하자 용건만 간단히 하라며 재촉했다.

"여기 체인점에 새로운 한국 상품을 하나 들여 놓으면 어떠실까 해서 찾아왔습니다."

체인점 주인은 철호에게서 라면 한 봉지를 받아 포장을 뜯었다. 꼬불꼬불한 면이 모습을 드러내자 한참을 바라보더니 양념봉지, 라면, 포장지 등 가리지 않고 모두 한데 뭉쳐 휴지통에 던졌다. 그러고는 마치 더러운 것을 만지기라도 한 듯 손수건을 꺼내 손을 닦았다.

철호는 휴지통을 들여다본 후 천천히 고개를 들어 주인과 눈을 마주쳤다. 그는 아랫입술을 꾹 깨물고 한참을 꼼짝 않고 서서 가게 주인을 바라보았다. 그러고는 한 마디 말도 하지 않은 채 휴지통에서 라면을 꺼내 올렸다. 얼굴이 화끈거렸지만 그는 등을 곧게 펴고 굴욕과 수치심을 삼켰다.

"귀중한 시간 내주셔서 감사합니다."

철호는 예의를 갖추어 정중하게 말한 후 그곳을 빠져나왔다.

나를 때리지만 않는다면 언제까지고 푸대접받는 방문을 반복하겠다고 다짐했다. 나의 방문을 전혀 반기지 않는 가게 주인들에게 인사를 하며 들어갈 때마다 마음속으로 외쳤다. "마음에 드는 나무는 넘어갈 때까지 찍는 거야!" 비즈니스는 연애와 똑같다. 처음엔 상대가 냉담해 보여도, 그 상대를 차지하기 위해서는 포기하지 말고 계속 나를 보이고 설득해야만 한다.

◖◗ 입소문과 유통망은 나의 힘

이름 있는 체인점에서 한결같이 부정적인 반응을 얻은 철호와 존은 전략을 바꾸기로 결심했다. 크고 이름 있는 체인점보다는 작은 규모의 상점들을 돌며 라면을 선보이기로 한 것이다. 그들은 이민자 가게와 동네 구멍가게 그리고 규모가 작은 식당 등을 목표로 전략을 수정했다.

이번엔 그들의 전략이 맞아떨어지는 것 같았다. 철호는 라면을 구매하겠다는 몇몇 가게들과 계약을 맺을 수 있었다. 이들 가게는 이미 외국인 이민자 슈퍼마켓이나 중국 음식점 등에 재료를 공급하고 있었기에 라면에 대해 어느 정도 알고 있었다.

철호는 구매자들이 전혀 부담을 느끼지 않는 선에서 계약을 맺었다. 철호와 계약을 맺은 가게들은 소비자 가격의 반값으로 라면을 구매할 수 있었으며, 혹시라도 재고가 생길 경우 철호가 모두 회수하기로 했다. 계약을 성사시킨 첫 주에, 철호는 각각의 가게마다 두세 봉지의 라면을 돌렸다. 과연 일반 소비자들이 낯선 음식을 구입하려고 할까?

비즈니스는 나와 상대방이 모두 만족할 수 있어야 오래간다. 그러려면 나 자신보다 상대방의 입장을 먼저 살펴야 한다. 사업은 절대 내 이익만 챙긴다고 성공하는 게 아니기 때문이다. 내 사업 상대가 망해버린다면 다음엔 어디에 물건을 팔 것인가?

결과는 희망적이었다. 일주일 후 거의 모든 가게에서 라면이 팔려 나간 것을 확인했다. 이를 기점으로 철호는 정기적으로 가게를 돌며 매대 위에 라면을 채워놓기 시작했다. 어떤 곳에서는 라면을 박스로 주문하기도 했다. 입소문이 퍼지면서 애초에 계약을 하지 않았던 다른 가게에서도 구매의사를 표시해왔다.

　많은 기대를 안고 시작한 사업이긴 했지만, 사실 광고 하나 하지 않고 새로운 제품을 시장에 선보이기란 쉬운 일이 아니었다. 막강한 자본력이 없었기에 이렇다 할 마케팅도 하지 못했다. 그러나 사람들은 라면에 대해 입소문을 내기 시작했고, 점차 꽤 많은 사람이 관심을 갖게 되었다. 그러기까지는 3년 반이라는 인내의 시간이 필요했다.

　나는 항상 어머니가 해주신 말씀을 되새겼다. "산이 네게 오기를 기다리지 말고, 네가 산으로 가라." 그렇다. 원하는 걸 얻기 위해서는 나 스스로가 먼저 다가가 노력해야 하는 것이다.

　매출은 날로 늘어가고, 한국에서 라면을 수입하는 횟수도 점점 잦아졌다. 날이 가고 달이 갈수록 주문량은 늘어갔다. 처음엔 3박스에 불과하던 주문량이 20박스로 늘었고, 어느새 200박스까지 늘어났다. 그렇게 주문량이 늘었지만 철호는 여전히 홀로 배달을 맡아 하고 있었다. 처음에 두세 봉지만 사들였던 가게에서 수십 박스를 주문하기에 이르자, 철호도 차츰 혼자 관리하기 힘들어졌다.

　뿐만 아니라 그는 저녁이 되면 집 안에 마련한 작은 책상 앞에 앉아 그날의 판매량을 점검하고, 다음 날을 대비한 주문량까지 확인해야 했다. 한국에서 수입되는 라면의 양은 점점 더 많아졌다. 어느 날 저녁, 500박스를 주문한다는 팩스를 한국 공장에 보내고 나니 철호는 문득 생각보다 일이 빨리 진행된다는 느낌이 들었다. 비록 오랫동안 간절히 원했던 성공의 길로 접어들긴 했지만, 미처 마음의 준비가 돼 있지 않았던 것이다.

라면을 찾는 이들은 시간이 지날수록 점점 늘어났고, 수입과 유통 및 모든 사무를 직접 관리하던 철호와 존은 수요를 감당하지 못할 지경에 이르렀다. 한 번에 1,000박스 넘게 라면을 주문받으면서 둘은 이 작은 회사로는 관리가 안 되겠다는 판단을 내렸다.

철호는 알나브루Alnabru에 위치하고 있는 유통회사 헤우겐Haugen 그룹에 연락을 취했다. 헤우겐은 최고급 식품과 국제적인 회사의 상품을 유통하던 큰 회사였다. 철호는 헤우겐 그룹의 경영책임자 얀 외르겐센Jan Jørgensen과 어렵사리 미팅을 잡아 만나게 되었다.

상대방이야 어찌 생각하건 간에, 나는 샘플로 가져갔던 라면을 당당하게 보여주고는 "드셔 보겠느냐? 내 라면은 요리하는 데 3분밖에 안 걸린다."고 물었다. 그는 고개를 끄덕였다.

외르겐센은 3분 만에 음식을 만들어낼 수 있다는 열정 가득한 한국인의 말을 귀담아들었다. 철호는 자신의 말을 증명하기 위해 사무실에 자리하고 있던 커피머신을 이용해 끓는 물을 받아낸 후 커피잔에 라면을 넣었다. 그리고 정확히 3분 후, 그는 완성된 라면을 만들어 외르겐센에게 내밀었다. 그는 라면 맛을 본 후 매우 흡족해했고, 노르웨이에서 성공할 수 있겠다며 고개를 끄덕였다. 그리고 그 자리에서 당장 라면 20박스를 주문했다.

"우리 회사와 협력관계에 있던 판매업자들에게 라면을 테스트 샘플로 보내려고 하는데, 보름 후에 다시 오시겠습니까? 그때쯤이면 테스트 결과를 알 수 있을 겁니다."

외르겐센은 철호에게서 샘플로 받은 라면을 전국에 걸쳐 있는 판매업자들에게 보냈고, 집에서 가족들과도 함께 맛을 보았다. 그는 판매업자들에게 보낸 라면에 설문지를 넣어 반응을 살폈는데, 응답자들 중 40퍼센트 이상이 긍정적인 반응을 보였다. 외르겐센은 결과에 만족하고 철호의 라면을 전국에 유통시키는 데 두 팔을 걷어붙이고 나섰다.

헤우겐 그룹 덕에 라면은 전국의 곳곳으로 배달되었고, 판매는 급진적으로 늘어갔다. 라면이 저렴하고, 요리가 간편하며, 맛까지 좋다고 소문이 나기 시작하면서, 가난한 학생들이 한 학기 내내 라면으로만 끼니를 때웠다는 소식, 까다로운 입맛을 지닌 아이들도 라면이라면 마다하지 않는다며 즐거워하는 부모들의 이야기 등이 여기저기서 들려왔다. 등산객이나 가족 단위로 산책길에 나선 사람들도 라면을 좋아했고, 수많은 청소년들이 라면을 과자처럼 즐겨 먹는다는 이야기도 들을 수 있었다.

그러다가 심지어 라면을 가지고 등교하는 것을 금지시킨 학교도 하나둘 생겨나기 시작했다. 점심시간은 물론, 수업시간에도 라면을 몰래 먹는 학생들이 늘어나자 수업에 지장을 초래했기 때문이었다. 교실 바닥에 버려져 있는 빈 봉지를 치우는 것도 일이었다.

어느덧 노르웨이 전국에 있는 수많은 사람들이 '미스터 리' 라면을 즐기고 있었다.

프랑스, 독일 등에서 요리사로 일한 경험을 되돌아보니 나라마다 독특한 소스가 굉장히 중요하다는 것을 깨달았다. 노르웨이 사람들이 제일 좋아하는 소스에 맞추어, 매운맛을 빼고 부드럽고 기름진 맛을 더했는데 결과는 대성공이었다. 처음엔 한국 라면을 포장만 바꿔 도입했었는데, 노르웨이인들의 입맛에 맞게 바꿔 출시한 이후로 매출이 급격히 늘었다.

●● TV쇼와의 대담한 한판

다른 회사들처럼 철호도 자사의 상품가치를 최대한으로 이용하려 했다. 존은 수입의 일부를 광고비에 쓰는 것이 좋겠다고 했고, 철호는 존의 말에 전적으로 동의했다. 둘은 1990년대 초에 들어와서 첫 광고를 제작했다. 오슬로 지역의 라디오 광고방송이었다.

광고의 배경음악은 미국에서 오래전에 인기를 끌었던 〈헤이, 미스터 리Hey, Mr. Lee〉를 사용했으며, 철호는 3분 만에 완성된다는, 라면에 대한 짧은 소개말을 읽어 내려갔다. 오슬로의 버스 및 전동차에는 라면의 이미지 광고를 했다. 그 자리는 12월이면 어김없이 H&M과 같은 거대 의류회사의 모델들이 장식하던 곳이었다.

철호와 존은 무언가 확실한 광고효과를 만들어내기 위해 고심했다. 둘은 헤우겐 그룹의 최고경영자였던 에릭 헤우겐Erik Heugen과 머리를 맞대고 앉아 아이디어를 짜냈다. 결국 얻어낸 결론은 당시 큰 인기를 끌고 있던 텔레비전 쇼 프로그램 〈카지노〉를 이용하자는 것이었다. 이 프로그램은 사상 유래 없는 상금을 내건 일종의 복불복 쇼로, 최고 시청률이 69퍼센트에 달할 만큼 인기가 많았다.

〈카지노〉가 인기를 끌자 프로그램의 후원업체로 등장해 광고효과를 노리려는 기업들도 많아졌다. 이에 철호와 존은 프로그램에 상품을 공급하는 업체로 나설 수만 있다면 라면의 광고효과도 크게 노릴수 있을 것이라는 생각이 들었다. 이들의 아이디어에 동의한 에릭 헤우겐은 방송사와 연락을 취했고, 라면에 어떤 식으로든 여행상품을 결합한다면 상품 후원에 참여할 수 있다는 통보를 받았다.

철호와 존은 방송국과의 협상에서 프로그램의 상품으로 매회 1년치의 라면과, 라면의 원산지인 한국으로의 왕복 비행기표를 제공하기로 의견을 모았다. 한국의 관광업체들의 반응도 좋아 여기저기서 관광상품을 내놓았다. 결국 대한한공에서는 〈카지노〉의 승리자에게 왕복 비행기표를 제공했고, 철호와 존은 1년치 라면을 제공하기로 했다. 뿐만 아니라 계약조건의 일부로, 철호는 프로그램에 직접 등장해 승자에게 라면을 전달하게 되었다.

〈카지노〉의 상품으로 라면을 제공하게 되었다는 철호의 말을 들은 딸들은 귀를 의심하지 않을 수 없었다. 더욱 믿을 수 없었던 것은 아버지가 직접 텔레비전에 출연해 라면을 전달할 거라는 사실이었다. 방송국에서는 철호에게 하얀 요리사 유니폼을 입고 방송이 시작되기 전

넉넉하게 시간 여유를 두고 와달라고 부탁했다. 철호는 긴장감 속에서 몇 번이나 유니폼을 확인한 후, 방송국으로 향했다. 집에 남아 있던 딸들도 긴장이 되어 안절부절못하며 방송이 시작되기만을 기다렸다. 특히, 막내 이리나는 녹화하는 데 지장이 없도록 비디오 기기를 몇 번이고 살펴보았다. 마침내 방송이 시작되자 딸들은 녹화와 재생 버튼을 동시에 눌렀다. 아버지가 언제 화면에 모습을 드러낼지 알 수 없었기에 프로그램을 처음부터 끝까지 녹화하리라 마음먹었다.

딸들은 이 일을 몇 달이나 계속했다. 하얀 요리사 유니폼을 입고 방송국으로 향하는 아버지도, 집에서 텔레비전을 지켜보며 녹화를 하던 딸들도 시간이 흐르면서 이 일에 익숙해졌다. 아버지가 언제쯤 화면에 나오는지 대충 짐작도 할 수 있었기에 프로그램을 모두 녹화하는 일도 차츰 줄어들었다. 녹화된 비디오를 다시 돌려보는 일은 없었지만 훗날을 위해 녹화해두는 게 좋을 거라는 생각으로 딸들은 줄기차게 그 일을 계속했다.

철호는 텔레비전에 출연하는 것을 싫어하지 않았다. 아니, 정확히 말하자면 상당히 즐기는 듯 보였다. 시청자들은 차츰 철호를 〈카지노〉의 고정 출연자로 인식하기 시작했다. 진행자와 철호는 매주 상품전달 방식을 새롭게 바꾸곤 했다. 어떤 때는 커다란 라면 박스를 공처럼 굴려가며 미스터 리가 무대 위로 등장했으며, 어떤 때는 그날의 승자가 상품을 확인하기 위해 무대 위에 장치된 세 개의 문 중 하나를 열면 거기서 라면 박스를 든 미스터 리가 뛰쳐나오기도 했다. 상품으로 '미스터 리'가 선택되면 스피커에서는 승자가 1년치의 '미스터 리' 라면

과 한국 여행을 위한 왕복 비행기표를 얻게 되었다고 소리 높여 발표
하곤 했다. 미스터 리가 환한 미소를 지으며 라면 박스와 비행기표를
건넬 때면 방청객들은 물론 집에서 텔레비전을 지켜보고 있던 시청자
들도 환호성을 질렀다.

〈카지노〉를 통해 '미스터 리'의 이름이 한번 알려지자, 다른 미디어
광고를 따내기도 쉬워졌고 라면 판매량도 크게 늘어났다. 비록 매주
상품으로 1년치 라면이 나가기는 했지만, 그 정도의 비용으로 광고효
과를 따질 수는 없는 것이었다.

본격적인 매출 증가와 함께 주력한 부분은 홍보였다. 우리는
벌어들인 수익 중 필요한 경비를 뺀 나머지는 모두 홍보와 판
촉에 투입했다. 신문과 방송 광고는 물론 한국 여행 경품까지
내걸었다.

자신의 장점에 돋보기를 대라

52세라는 적지 않은 나이에 경영 일선에서 물러난 라면왕 이철호는, 새로운 시작에 막막했지만 걱정에 파묻혀 지내는 대신 그 시련을 전환점 삼아 새 기회를 찾아 나섰다. 첫 시도였던 인삼차의 실패를 인삼빵의 성공으로 탈바꿈시킨 그는, 항상 자신이 가장 잘 할 수 있는 일에 집중했다. 결국 음식이라는 자신의 특장점을 활용해 라면 사업을 시작하게 된다.

절대 포기하지 말고 넘어갈 때까지 찍어라

라면왕 이철호는 라면상자를 들고 영업을 나갈 때마다 온갖 문전박대와 수모를 당했지만, '자신을 때리지만 않는다면 언제까지고 푸대접 받는 방문을 계속할 수 있다'고 스스로에게 맹세했다. 3년 반 동안의 포기 없는 노력의 결과, 차츰 입소문이 나면서 마침내 큰 매출이 일어났다.

협상력은 사업 성장의 핵심이다

농심과의 협상을 통해 그는 '미스터 리' 라면이라는 자체 상품을 달고 출시할 권리를 확보했다. 매출 규모가 커지자 유통회사 헤우겐 그룹과의 협상을 시작, 전국 곳곳에 걸친 가파른 매출 신장을 이뤄냈다. 나아가 TV방송국과의 협상을 통해, 몇 가지 상품협찬 조건으로 큰 인기를 끌던 텔레비전 쇼 프로그램에 진출해 전국적인 인지도 확보에 본격적인 불을 당겼다.

냅킨 위에 쓴 계약서

지혜란 영원의 관점으로 만물을 바라보는 능력이다.

— 스피노자, 네덜란드의 철학자

'미스터 리' 라면을 내가 계속 가지고 있으면 내 세대에서 끝
나 버리지만, 노르웨이에서 가장 뛰어난 판매 능력을 갖춘 토
로가 관리하게 되면 수십 년, 수백 년을 이어가는 전통 있는 제
품으로 남을 수 있기에 나는 이 방법을 선택했다. 나 역시 내 이
름이 후세에도 오래도록 남겨지기를 원한다.

🔵🔵 성장하려면 거인과 협상하라, 끈질기게

1990년대 중반 토로Toro라는 노르웨이 최대 식품회사의 판매부에
서는 노르웨이 전역을 대상으로 식품구매 및 섭취사항에 대해 큰 관
심을 두고 면밀한 조사를 시행했다. 토로는 당시 수프와 소스 분야에

서 밀스Mills라는 업체와 치열한 경쟁관계에 있었다. 때문에 토로 측에서는 시장 1위 자리를 지키기 위해 고심하지 않을 수 없었다. 갖은 노력 끝에 밀스를 따돌리긴 했지만 거기에 안주할 수는 없었다.

토로의 생산 책임자는 노르웨이에서 이탈리아 음식을 유통시킬 가능성에 대해 조사하다가 라면이라는 낯선 음식이 시장에서 큰 인기를 얻고 있다는 것을 발견했다. 그는 라면의 가능성을 발견하고 토로의 최고 경영진에게 보고를 올렸다. 라면에 대해 들어본 적 없는 그들은 처음에 고개를 가로저었지만, 일단 시장의 움직임을 주의 깊게 살펴보기로 했다.

당시 토로의 최고 책임자였던 아스비외른 레인킨Asbjørn Reinkind은 이미 노르웨이에 소개된 라면 중 가장 단단한 기반을 유지하고 있는 선두업체 하나를 몽땅 사들이는 것이 가장 손쉬운 방법이라 생각했다. 레인킨은 '미스터 리' 라면을 맛본 후 곧바로 접촉을 시도했다. 그는 철호의 이름과 연락처를 알아내 그에게 전화를 걸었다.

"오슬로에서 한 번 뵙고 싶은데 가능하시겠습니까?"

"무슨 일이시죠?"

"귀사에서 판매하는 라면에 대해 이야기를 나누고 싶습니다."

며칠 후 둘은 오슬로에서 만났다. 레인킨은 비록 철호보다 스무 살이나 어렸지만 둘은 대화가 잘 통한다는 것을 느꼈다. 레인킨은 노르웨이 식품 시장을 석권하고 있는 토로에 대해 소개하고 최근 시장조사를 통해 라면의 시장점유율이 상승하고 있는 것을 발견했다고 말문을 열었다. 그리고 '미스터 리' 라면과 경쟁관계로 발전하기보다는 토

로의 권한 하에 판매권을 둠으로써 협력관계를 유지하고 싶다는 의견
을 피력했다.

그는 토로에 판매권을 넘기면 지금까지 두 사람이 일을 해왔던 것
이상으로 라면의 소비자 인지도를 높일 수 있다고 장담했다. 철호는
레인킨과 토로의 비전을 읽어냈고, 레인킨 또한 라면의 성공 가능성
을 믿고 있었다. 철호는 수입과 시장점유율에 대해 터놓고 이야기했
다. 그리고 회사를 토로의 경영권 하에 두는 데 따른 요구조건도 주저
함이나 숨김 없이 말했다. 레인킨은 철호에게 여덟아홉 배 정도면 만
족하겠냐고 물었다.

"무슨 말씀이신지요?"

철호가 의아한 표정으로 되묻자 레인킨은 철호에게 현재 연봉의 여
덟아홉 배 정도의 돈을 지불하면 만족할 것인지를 물은 것이라고 답
했다. 하지만 철호에겐 일시불로 회사를 넘길 마음이 전혀 없었다.

"토로는 우리 회사보다 홍보예산이 훨씬 클 겁니다. 만약 그쪽에서
'미스터 리' 라면을 사들여서 그쪽 방침에 따라 홍보한다면 판매율도
지금보다 훨씬 높아지겠지요. 최악의 상황을 염두에 둔다 하더라도
지금까지 제가 올린 실적보다 낮아질 리는 없습니다."

철호는 이렇게 말한 뒤 잠시 생각하고, 바로 최종안을 내놓았다. 그
는 토로가 자신의 회사를 인수하는 데 1,800만에서 2,000만 크로네를
지불할 것을 요구했다.

"'미스터 리' 라면이 지금까지 낸 총 이윤을 합해봐야 겨우 몇 백만
크로네에 지나지 않습니다. 말씀하신 2,000만 크로네는 좀 현실성이

없군요."

레인킨은 철호의 사업수완을 인정하긴 했지만 받아들일 수 없는 조건이라며 이렇게 대답했다. 철호는 라면의 가능성에 대해 다시 역설했고, 토로가 '미스터 리' 라면을 인수한다면 매우 짧은 기간 내에 현재까지의 총이익보다 훨씬 높은 이익을 창출하리라는 것을 확신한다고 덧붙였다.

레인킨은 반대로 토로의 협력 없는 라면의 시장점유율을 더 이상 높이기 힘들 것이라 되받아쳤다. 이렇게 열띤 논쟁을 벌인 후 철호는 새롭게 조정된 의견을 내놓았다. 즉 토로는 '미스터 리' 라면의 판매권을 사들이는 데 2,000만 크로네의 3분의 1에 해당하는 금액을 일시불로 지불하고, 토로가 라면을 판매함으로써 3년 이내에 발생하는 총이윤의 3분의 1에 해당하는 금액을 매해 지불한다는 것이었다.

레인킨은 곰곰이 생각한 뒤 철호의 의견에 동의했다. 만약 철호의 계산이 맞다면 어쨌든 3년 이내에 토로로부터 2,000만 크로네에 해당하는 금액을 받아낼 수 있을 것이었다. 또 한 가지 짚고 넘어간 것은, 토로가 노르웨이 내의 판매권을 소유한다 하더라도 코리아 엑스포에서 라면 수입 및 관련사항을 계속 맡아 관리한다는 것이었다.

철호와 레인킨은 판매권의 인수인계와 관련한 주요사항을 그 자리에서 마무리지었다. 두 사람은 합의한 사항을 탁자 위의 냅킨에 깨알같이 적어내려 갔고, 각자의 지문으로 동의를 확인했다. 뒤따른 서류작업과 세세한 사항들은 회계부서를 통해 진행시키기로 했다.

확실한 건, 산 중턱에서 바라보는 세상과 산 정상에서 바라
보는 세상은 전혀 다르다는 것이다. 나 역시 산 정상에까지 오
르고 싶었다.

⬤⬤ 홍보의 최전선에 서라

오슬로에서 만나 이루어진 둘의 합의에도 불구하고 세세한 사항을
모두 점검해야 하는 서류작업은 빠르게 진척되지 못했다. 우선 판매
권 인수에 대한 승인을, 토로가 자회사로 속해 있는 리베르 그룹으로
부터 받아내야만 했다. 레인킨은 기업 총회에서 '미스터 리' 라면의 판
매권 인수가 이미 진행 중에 있으며, 긍정적인 방향으로 검토하는 중
이라고 발표했다. 하지만 기업 총회를 장악하고 있는 대부분의 나이
많은 중역들은 이를 쉽게 받아들이려 하지 않았다.

레인킨은 총회 전에 만반의 준비를 기해, 라면을 소개하는 데 열과
성을 다했으나 리베르 그룹의 회장은 레인킨의 계획에 상당한 의구심
을 표했다.

"이게 도대체 뭡니까? 이런 음식은 내 살아생전 본 적은커녕 들어본
적도 없습니다."

책상에 둘러앉은 다른 이들도 마찬가지였다. 레인킨은 회의적인 기
업 총수들에게 이렇게 말했다.

"댁으로 라면을 가져가서 자제분들에게 물어보십시오. 그러면 이게

뭔지 알 수 있을 겁니다."

며칠 뒤 경영진의 한 명이었던 요한 모빈켈Johan Mowinckel은 이렇게 말했다.

"당신이 시키는 대로 라면을 집에 가져가 아이들에게 맛을 보여주었지요. 아이들은 라면을 매우 좋아했습니다. 생각했던 것 이상으로요."

얼마 지나지 않아 리베르 그룹의 회장은 다수의 의견을 따라 토로가 '미스터 리' 라면의 판매권을 인수하는 데 동의했다. 라면의 판매권이 토로로 넘어가면서 마케팅과 유통은 더욱 전문적인 형태를 띠게 되어 판매량이 급증했다. 그리고 철호는 여전히 상품포장의 겉봉과 광고에서 '미스터 리' 라면의 얼굴로서 그 입지를 유지했다.

1996년에 있었던 이 계약은 양측에 모두 긍정적으로 작용했다. 존은 판매 성공을 거둔 이유에 대해 이리나에게 이렇게 설명했다.

"미스터 리는 뛰어난 세일즈맨이야. 협상에서도 뛰어난 자질을 보였지. 미스터 리는 언뜻 듣기에 허튼소리에 불과한 듯한 말을 자주 한단다. 사람들은 미스터 리 말을 혹시 잘못 들은 건 아닐까 당황하기도 하고, 전혀 이해를 못 할 때도 있지. 하지만 미스터 리는 한 번 결심한 사항에 대해선 황소 같은 고집으로 결국 끝장을 보고야 마는 사람이란다. 마음에 들지 않거나 부당한 상황을 접할 때면, 미스터 리는 부처처럼 침묵을 지키며 고집을 부리지. 그러면 상대방은 어쩔 수 없이 두 손을 들고 만단다. 협상 장소에서 자주 볼 수 있는 미스터 리의 모습이지."

또한 철호는 '미스터 리' 라면을 홍보하는 데 노력을 아끼지 않았다. 큰 슈퍼마켓 체인에서부터 동네 작은 가게들까지 라면봉지를 직접 들고 가 즉석에서 라면을 끓여 시식을 권하기도 했다. 토로의 마케팅 부서에는 철호의 방문을 원하는 슈퍼마켓 체인점들의 전화로 불통이 될 지경이었다.

나는 필요한 곳이면 어디든 달려가 판매와 홍보의 최전선에 앞장섰다. 새로 매장이 오픈할 때마다 나는 앞치마를 두르고 직접 라면을 끓여 시식회를 열었다. 시식회에서 나는 빳빳하게 다린 하얀 요리사복을 제대로 갖춰 입고, 요리사 협회에서 받은 최고 요리사Cook Master 훈장까지 목에 걸고 정성을 다해 라면을 끓였다. 그 라면에는 나의 자존심까지 걸려 있음을 상징한 것이다. 내가 벌이는 시식회가 인기를 끌다 보니, 어떤 도시에서는 시식회를 여는 나를 보려고 초등학교 아이들 절반 이상이 학교를 결석하는 바람에 그 일이 신문에 크게 난 적도 있었다.

철호는 집요한 세일즈맨이자 협상가였다. 물건을 제대로 팔 수 있다면 어떤 방법이든 가리지 않고 덤벼들었고, 한 번 결심한 사항에 대해선 황소 같은 고집으로 결국 끝장을 보고야 말았다. 결국 계약이 성사된 후 몇 년 동안, 철호와 존은 토로로부터 처음 예상했던 금액보다 훨씬 많은 액수를 지급받았다.

협상에는 황소고집이 절반, 상생마인드가 절반

라면왕 이철호는 치열한 협상 과정을 통해 노르웨이 최대 식품회사 토로와 상생의 기반을 마련했다. 근시안적 욕심에 매몰되지 않고, '미스터 리' 라면을 장기적인 안목에서 수백 년을 이어갈 제품으로 만들기 위해서, 그는 노르웨이에서 가장 뛰어난 판매력을 가진 토로 측에 관리를 맡기는 혜안을 발휘했다. 토로라는 거인의 어깨에 올라탄 이후 '미스터 리' 라면의 마케팅과 유통은 더욱 전문화되었다.

항상 홍보의 최전선에 서라

라면왕 이철호는 사무실에 앉아 자리만 지키고 있지 않았다. 필요한 곳이면 어디든 달려가 판매와 홍보의 최전선에 섰다. 자신의 자존심과 프라이드를 내건 정성스러운 시식회는 대단한 반향을 불러와 그 자체가 새로운 입소문의 확대 재생산 창구가 되었다.

Before & After
'미스터 리' 라면은 1990년대 토로에서 상품 판매권을 인수하게 되면서 극적인 변화를 겪었다. 2002년 새롭게 제작된 포장 디자인은 디자인 업계의 오스카상이라고도 불리는 런던 디자인 위크 어워즈Design Week Awards 에서 최고상을 수상했다. 그런 후에도 철호는 여전히 '미스터 리' 라면의 아이콘으로서 활약했다.

상품의 전면에 나서라
새로운 포장 디자인으로 출시된 '미스터 리' 라면을 광고 중인 이철호.

대표가 전면에 나서라

정보가 넘쳐나는 시대에는 브랜드가 더욱 중요해진다.
요즘 사람들은 일상 속 선택의 순간에 대해 고민할 시간이 거의 없다.
브랜드는 그 선택의 순간을 도와준다.

— 스티브 잡스, 애플사 CEO

서로 정확한 거래만 있으면 됐지, 인간관계는 소용없다고 생각하는 사람들이 많지만, 내 경험상으로는 좋은 인간관계가 형성되지 않은 비즈니스가 오래가는 걸 본 적이 별로 없다. 인간관계에서 어느 한쪽만이 만족해서는 관계가 오래 유지될 수 없다. 상호 만족이 있어야 관계가 오래간다. 사업은 남녀의 연애와 같다.

🔴 대중을 열광시킨 '재미있는 진정성'

토로가 라면의 판매권을 인수하면서 '미스터 리' 라면의 상품가치는 한결 높아졌다. 철호의 비전과 야망은 토로와 손을 잡으면서 현실화되었고 더욱 빛을 발하게 되었다. 이전의 마케팅과는 비교할 수 없는 수준이었다.

토로는 판매권을 인수하자마자 '미스터 리'라는 상품명에 대한 가치를 확고히 하는 데 집중했다. 이에 수많은 전문 마케팅 인력이 시장조사에 나섰고 소비자 인지도를 높이기 위한 수단을 찾는 데 힘을 쏟았다. 시장조사 끝에 '미스터 리'라는 상품명은 특히 청소년들 사이에 확고하게 뿌리 내리고 있다는 것을 발견할 수 있었다. 토로 측에서는 자사 로고를 라면 포장의 어디에 넣을 것인지, 또는 라면을 계속 '미스터 리'라는 이름으로 판매할 것인지를 두고 고심했다.

'미스터 리'는 특히 13~14세의 청소년 사이에서 현실적 영웅의 이미지를 지니고 있었다. 많은 이가 어린 나이에 노르웨이로 건너와 라면왕으로 자리를 굳힌 철호의 지난 이야기에 대해 알고 있었고, 청소년들 사이에서는 이런 그의 이야기가 거의 신화적으로 자리를 잡고 있었다. 결국 토로는 라면의 이름과 철호의 얼굴은 포장에 계속 사용하기로 결정을 내렸다.

철호는 토로의 경영진 및 광고부서와의 협력에 능동적인 자세로 임했다. 그는 광고회사와의 첫 만남에서 자신의 과거를 상세히 털어놓았다. 따라서 광고회사 측에서는 철호가 누구인지, 그리고 그의 뿌리는 어디에 근거를 두고 있는지 확실히 알게 되었다. 철호는 자신의 이야기를 털어놓으며 한국의 속담 및 격언을 적절하게 사용했고, 광고회사 측에서는 삶의 지혜가 담긴 짧고 간결한 동양의 격언을 카피로 사용하는 것이 좋겠다는 아이디어를 얻었다.

내가 처음 TV광고에 직접 출연하겠다고 했을 때 주변에서는 반신반의했다. 미남도 아니고, 몸매도 엉망인 내가 TV광고에 직접 나가 라면을 선전하겠다고 했으니 좀 무모해 보였을 것이다. 하지만 나는 '미스터 리' 라면 광고에 수십 편이나 직접 출연했다. 눈을 즐겁게 해줄 요소가 없었음에도 불구하고, 사람들은 내가 나오는 광고를 무척 좋아했다. 뭔가를 제대로 알리려면 대표하는 사람이 직접 나서야 한다. 대표하는 사람이 뒤로 숨어선 안 된다.

이렇게 '미스터 리'의 첫 번째 텔레비전 광고가 제작되었다. 생소한 외국인의 모습은 노르웨이 각 가정에 소개되었고, 냄비를 들고 간단한 식사를 만들어내는 그의 코믹한 이미지는 30초짜리 광고의 효과를 극대화시켰다. 광고는 철호가 직접 노르웨이어로 동양의 격언을 이야기하면서 끝을 맺었다.

"산은 결코 제 발로 걸어오지 않습니다. 산을 보려면 직접 가야만 하죠. 우리 어머니가 그렇게 말씀하셨어요!"

"배가 비면 머리도 비게 마련이랍니다. 정말 우리 어머니가 그렇게 말씀하셨다니까요!"

어떤 격언들은 실제로 오랜 세월 동안 이어져 내려오던 속담을 변형시킨 것이었고, 또 어떤 것들은 광고회사 제작진들이 머리를 짜내어 함께 만들어낸 것이었다.

철호는 광고제작에 참여하며 매우 흡족해했다. 비록 몇 날 며칠을 소비해 겨우 한 편의 광고를 찍곤 했지만, 그는 카메라 앞에 서서 '라면왕 미스터 리' 역할을 해내는 것을 굉장히 의미 있게 여겼다.

광고는 선풍적인 인기를 끌었다. 외국인으로서 철호의 낯선 이미지, 어색한 억양, 코믹한 콘셉트, 거기에 더불어 지혜롭고 깊이 있는 사고들을 갑자기 툭툭 던져내는 멘트의 돌발적 효과는 모두 인기를 끌기에 충분한 요소였다.

텔레비전 광고에 사용되었던 '미스터 리'의 코믹한 슬로건은 라면 포장에도 삽입되었다. '라면을 보글보글 끓는 물에 넣고 노래 한 곡을 부르면 완성된 라면을 드실 수 있습니다.' 하는 식으로 조리법이 적혀 있기도 했다. 이런 재미있는 요소들이 사람들의 관심을 불러일으켰던 것이다.

반면 포장의 장난스런 문구 때문에 토로 내의 식품관리부에 여러 번 호출을 당하기도 했다. 말도 안 되는 문장으로 포장을 장식해 판매한다는 것은 어림도 없다며 제제했지만, 마케팅 부서에서는 그 터무니없이 여겨지는 문장들이야말로 핵심이라며 다른 상품과의 차별성을 강조해 식품관리부를 설득시켰다.

토로의 마케팅 부서는 그 후로도 4~5년 동안 '미스터 리' 라면의 판매과정 및 소비자 인지도 확립에 세세하게 참여했다. 뿐만 아니라 '미스터 리' 라면을 기업 성공의 가장 중요한 목표로 지정하고 그 발판을 굳건히 하는 데 총체적인 노력을 기울였다.

'미스터 리' 라면 광고는 극장에서도 나왔고, 광고 배경음악은 휴대폰으로도 다운받을 수 있었으며, 광고 장면은 포스터나 엽서의 형태로 제작돼 대도시의 카페와 레스토랑에 무료로 배포되었다.

활발한 홍보 덕에 '미스터 리' 라면의 인기는 하늘을 찌를 듯 높아졌다. 의류상품인 디젤Diesel 또한 미스터 리를 광고모델로 등장시켰으며, 이에 힘입어 '미스터 리' 라면은 토로가 판매하는 상품 중 가장 많이 팔리는 품목으로 등극했다.

⬤⬤ 총리보다 더 유명해진 '라면왕'

'미스터 리' 라면을 따라하는 아류작들이 잇따라 출시됐지만, '미스터 리' 라면은 계속 시장의 선두를 지켰다. 꼭 품질 때문만은 아니었다. 심지어 가격은 다른 라면들보다 다섯 배나 비쌌지만 소비자들은 '미스터 리' 라면을 선호했다. 그것은 바로 철호의 이미지 때문이었다. 노르웨이 소비자들의 정서적 애착이 '미스터 리' 라면 구매까지 이어지게 된 것이다. 노르웨이 국민들은 미스터 리의 개인적 역사에 대해 이미 알고 있었으며, 그를 향한 애정을 표출하기에 주저하지 않았기 때문에 성공할 수 있었던 것이다.

이처럼 비싼 가격을 유지하면서도 경쟁 제품들 사이에서 독보적인 성공을 거둘 수 있었기에, 토로는 더 많은 예산을 '미스터 리' 라면 홍보에 쏟아부을 수 있었다.

2002년에 있었던 시장조사에서도 '미스터 리' 라면이 청소년 사이에서 큰 인기를 끌고 있는 것으로 나타났다. 그들은 미스터 리를 거의 영웅시하면서 '미스터 리' 라면을 당시 최고의 인기를 누리고 있던 노키아Nokia 휴대폰 또는 애플Apple 컴퓨터에 비교할 수 있다고 답했다. 다시 말하자면 '미스터 리' 라면은 식품업계에서 값비싼 오리지널 상품 역할을 했던 것이다.

현대적인 방법으로 소비자들에게 다가간 광고도 이러한 트렌드를 창조하는 데 한몫했다. 신문과 잡지, 텔레비전 방송국에서는 철호를 인터뷰하기 위해 줄을 섰고, 그의 과거 이야기는 미디어를 거의 매일같이 장식하곤 했다. 이런 일이 계속되면서 미스터 리는 노르웨이 전역에서 총리보다 더 유명한 인물로 떠올랐다. 급기야 그는 노르웨이 청소년들 사이에서 스타 못지않은 인기를 누렸고 초등학교와 고등학교 교과서에까지 실리는 인물이 되었다. 베르겐의 상업대학에서는 그를 객원강사로 초청해 사업성공에 대한 일화를 들려달라고 부탁하기까지 했다. 대학뿐만 아니라 각종 기업체에서도 비싼 강의료를 지불해가며 그를 초대해, 살아온 이야기와 사업에 대한 그의 소견 및 아이디어에 대한 조언을 구했다.

철호는 말 그대로 아침에 눈을 뜨니 유명인사가 돼 있는 듯한 기분이었다. 길을 걸을 때도 반가움에 말을 걸어오는 사람들 때문에 자주 멈추어야만 했다. '미스터 리' 라면을 홍보하기 위해 노르웨이 전역을 다닐 때도, 그와 인사를 나누려는 청소년들이 줄을 이었다. 철호는 그런 팬들에게 사인해주는 것을 좋아했다. 함께 사진을 찍자고 부탁하며 다가오는 낯선 사람들에게도 철호는 항상 환하게 미소 지으며 응

했다.

하지만 한편으로는 만나는 사람마다 사인을 해주고 사진을 찍어주다가 약속 시간을 놓치기 일쑤였다. 가끔 그에게 묻지도 않고 무작정 다가와 사진을 찍는 이도 있었다. 그는 이것이 한 번에 그칠 일이 아니라는 것을 알고 있었다. 게다가 그는 이미 환갑을 훌쩍 넘긴 나이가 아니었던가.

물론 이미 유명해졌기 때문에 이제 와서 어떻게 할 수도 없었지만, 어디를 가나 주목을 받고 낯선 사람들의 입에 오르내려야 하는 것이 달갑지만은 않은 일이었다. 그래서 한 번씩 밖에 나가 외식을 하는 즐거움도 점점 잃기 시작했다. 그렇긴 했지만 그는 낯선 사람들의 사인 요청을 한 번도 거절한 적이 없었고, 언제나 예의를 갖춘 미소로 정중하게 사람들을 대했다.

물론 유명세를 타는 것의 부정적인 면만 경험한 것은 아니었다. 철호는 낯선 곳에서 누군가를 처음 만나더라도 스스로를 구구절절이 소개하지 않아도 되었다. 모두 그에 대해 잘 알고 있었기 때문이다. 그런 그와 만나서 대화를 나누려는 이는 여기저기서 찾아볼 수 있었다. 정치 이야기든 사업 이야기든 함께 대화를 나누고 그에게 조언을 구하려는 이들은 어디를 가든 줄을 서 있을 정도였다.

2000년대 초에 들어와 '미스터 리' 라면은 무려 70퍼센트라는 높은 비율로 시장을 점유했다. 토로의 지원이 없었다면 '미스터 리' 라면이 시장을 독점하는 일도 없었을 것이다. 철호는 자신을 '라면왕'의 입지로 격상시켜준 토로에 항상 고마운 마음을 지니고 있었다.

2010년 봄, 토로는 새로운 시장조사를 실시했다. '미스터 리'의 텔레비전 광고가 방영된 지도 이미 수년이 흘렀건만 '미스터 리' 라면은 여전히 95퍼센트라는 압도적인 시장점유율을 기록하고 있었다.

'미스터 리' 라면 표지에 '소고기맛', '닭고기맛' 등 한글을 꼬박꼬박 적어 넣었는데 이것도 효과적인 마케팅 수단이 되었다. 덕분에 노르웨이에서는 라면의 원조가 일본이 아닌 한국으로 알려지게 되어 일본 라면이 들어올 엄두를 내지 못하게 되었다.

Mr Lee's
Success
Mind

뭔가를 제대로 알리려면 대표가 전면에 나서라

미남도 아니고 몸매도 엉망인 자신이 TV광고에 나서는 걸 만류하는 주위의 반응에도 아랑곳하지 않고, 라면왕 이철호는 직접 TV에 나가 자신의 상품을 선전했다. 눈요깃거리가 없었음에도 사람들은 그의 진정성과 재미있는 전달방식, 스토리 마케팅 등에 열광했다. 그 결과 '미스터 리' 라면은 뒤이은 아류작들보다 다섯 배나 비싼 가격에도 불구하고 소비자들의 정서적 애착과 충성도로 인해 95%라는 압도적인 시장점유율을 확보했다.

끝을 보기 전엔 포기하지 마라

성공은 최종적인 게 아니며, 실패는 치명적인 게 아니다.
중요한 것은 지속하고자 하는 용기다.

— 윈스턴 처칠, 전 영국 총리

아버님은 "무엇이든 한번 시작했으면 끝을 봐야 한다."고 항상 강조하셨다. 그 가르침 덕분이었을까, 나는 끝을 봤다고 생각하기 전에는 절대 포기하지 못하는 성격을 갖게 되었다. 그 살벌한 전쟁터를 헤집고 다니며 구두닦이, 밀짚모자 장사, 냉차 장사를 했던 것도 스스로 한번 시작한 일을 끝까지 해보겠다는 고집 때문이었다. 죽을 고비를 수없이 넘기고도 집에 돌아가지 않고 미군부대에서 하우스보이, 미제품 장사를 했던 것도 혼자 힘으로 뭔가를 이뤄내고 싶다는 오기 때문이었다. 라면 사업에 성공하게 된 것도 역시 그 끝을 보려는 끈기 덕분이었다.

●● 미스터 리, 영생을 얻다

2001년을 전후해 '미스터 리' 라면은 노르웨이에서 무려 1천만 봉지가 팔렸다. 철호는 당시 65세에 접어들었고 토로 측은 라면의 포장을 바꾸어야 한다는 데 내부적으로 의견 일치를 보았다. 철호의 얼굴 사진이 곁들여졌던 라면의 겉포장은 선풍적인 인기를 유지하고 있었지만, 토로 경영진은 상품의 장래성도 생각하지 않을 수 없었던 것이다.

우선 철호의 나이도 고려해야 했다. 그가 불사신이 아닌 이상 영원한 삶을 유지할 수는 없지 않은가. 어떤 상품이 현재 살아 있는 사람의 이미지와 깊은 연관을 맺고 있다면 상품의 시장성 및 인지도 성장에 한계가 있을 수밖에 없었다.

또한 토로는 '미스터 리' 라면을 철호의 개인적 역사에 대해 전혀 모르고 있는 타국에도 수출할 계획을 세우고 있었기 때문에 미스터 리 개인의 삶이 상품의 인지도에 필요 이상으로 영향을 미치고 있다고 생각했다. 이에 대해 토로 내부에서도 의견이 분분했지만 결국 포장을 새롭게 디자인하는 것이 좋겠다는 결정을 내렸다.

그들은 디자인 브릿지Design Bridge라는 한 영국 회사에 현재의 미스터 리의 사진을 대신할 만한 포장 디자인을 의뢰했다. 디자인 브릿지에서는 토로 측에 미스터 리의 사진을 삭제할 뿐만 아니라 전체적인 디자인을 완전히 바꾸는 것이 어떻겠느냐며 제안해왔다. 토로는 디자인 브릿지의 의견에 동의했고, 디자이너 이언 버렌Ian Burren을 선두로

해 총체적인 작업이 시작되었다.

그는 기본적으로 미스터 리의 사진을 이용해 이를 형상화하거나 아이콘으로 만드는 데 중점을 두고 일을 진행했다. 그리하여 미스터 리의 얼굴은 결국 몇 개의 선으로 단순하게 재탄생되었다. 매우 단순한 그래픽이긴 했지만 미스터 리의 특징적인 표정은 그대로 살아 있었기에 누가 보더라도 그것이 미스터 리를 캐릭터화한 것이라는 것을 알 수 있었다.(225페이지 사진 참조)

토로에서는 이 새로운 디자인을 가지고 다시 시장조사를 실시했다. 타깃 소비자는 역시 청소년이었으며, 이들은 모두 하나같이 그것이 미스터 리라는 것을 단번에 알 수 있다고 대답했다. 이렇게 토로와 디자인 브릿지와의 협업은 미스터 리를 아이콘화함으로써 브랜드 아이템에 시간이 지나도 사라지지 않는 생명력을 부여할 수 있었다.

디자이너였던 이언 버렌은 미스터 리의 얼굴을 단순하게 만드는 동시에 이를 확대시켜 전체 포장을 덮을 수 있도록 만들었다. 하지만 컵라면의 포장은 조금 달랐다. 디자인을 책임진 회사에서는 상품포장에 관한 기존의 고정관념을 뒤엎는 획기적인 안을 내어놓았다. 즉 컵라면에서 '미스터 리'라는 상품명이 보이는 곳은 컵의 뚜껑뿐이었다.

미스터 리의 사진이 삭제되면서 자연히 초기부터 그 명맥을 유지해오던 라면이 담긴 접시 사진도 사라졌다. 디자이너들은 라면 사진 없이도 소비자들로 하여금 내용물이 무엇인지 알 수 있도록 하기 위해 포장의 뒷면을 투명한 플라스틱으로 제작했다.

이러한 작업이 진행되는 동안에도 철호는 아무것도 모르고 있었다.

토로는 런던의 디자인 회사에서 초안을 받자마자 철호에게 먼저 연락했다. '미스터 리' 라면의 생산을 책임지고 있던 욘 스탕 볼덴Jon Stang Volden은 철호에게 이때까지의 과정을 모두 보고하는 임무를 맡았고, 그는 토로의 마케팅 매니저였던 니나 스카게Nina Skage와 함께 철호를 만나기 위해 오슬로로 향했다. 욘은 철호와의 미팅에 앞서 안절부절 못했다. 사전에 아무 말도 없이 포장 디자인 작업을 진행했다는 사실을 뒤늦게야 알리는 임무를 맡은 욘의 마음이 편치 않았던 것은 당연했다.

그러나 철호는 이미 어떤 일이 진행되고 있었는지 눈치를 챈 것 같았다. 그는 두 사람을 만나자마자 이렇게 말했다.

"욘과 니나, 저도 생명의 한계를 지닌 인간에 불과합니다. 하지만 '미스터 리' 라면만큼은 영원한 생명을 지닐 수 있도록 도와주십시오." 철호의 말 한마디로 인해 분위기는 완전히 바뀌어버렸다. 욘과 니나는 디자인의 재편성 계획을 철호에게 불편함 없이 털어놓을 수 있었고, 철호는 그날 처음으로 런던의 디자인 브릿지에서 마련한 초안을 볼 수 있었다. 철호는 새 포장 디자인을 보자마자 첫눈에 호감을 표시했다. 그는 미스터 리의 이미지를 아이콘화했다는 사실에 매우 흡족해했으며, 얼굴 디자인으로 포장 전면을 장식한다는 아이디어에도 전적으로 찬성했다. 이는 매우 획기적인 아이디어임에 틀림없었다. 그는 새 디자인이 꽤 코믹하면서도 독창적이라고 생각했다.

'미스터 리'의 재포장은 성공적이었다. 이 작업은 토로와 '미스터 리' 라면뿐만이 아니라 별로 유명하지 않은 회사였던 디자인 브릿지에도 큰 성공을 가져다주었다. 참신한 이미지로 그래픽 디자인계의 총아로 떠오른 디자인 브릿지는 2002년 디자인계의 오스카 시상식이라고도 할 수 있는 디자인 위크 어워즈Design Week Awards에서 상을 받기도 했다. 시상식에 참석하기 위해 토로의 최고 경영진과 철호는 런던으로 향했고, 붉은 카페트를 밟고 시상식장에 입장해 샴페인으로 기쁨을 나누었다. 시상식을 마친 후, 그들은 런던의 한 호화로운 호텔에서 축하 파티를 열기도 했다.

●● 영원한 탐색가

철호 또한 '미스터 리'를 브랜드화하기 위해 같은 상품명 하에 새로운 제품을 들여놓는 데 밤낮없이 고심했다.

한번은 철호가 골프에 빠진 적이 있었다. 이에 그는 골프용품 또한 '미스터 리' 상표를 달아 판매할 수 있다고 믿었다. 어느 일요일 새벽, 그는 자다 말고 욘 스탕 볼덴에게 전화를 걸었다.

"여보세요."

"일어났어요?"

미처 잠에서 깨지 못한 욘은 흥분에 겨워 어쩔 줄 모르는 철호의 목소리를 들었다. 도대체 이 시간에 무슨 이야기를 하려고 전화를 한 것일까?

"솔직히 말하면 아직 잠에서 깨어나지 못하고 있는 중입니다."

욘은 한참을 머뭇거리다가 대답했다. 하지만 철호는 잠에 취해 겨우 대답하는 욘의 목소리에 아랑곳하지 않고 말을 이었다.

"그러면 지금은? 지금은 완전히 잠에서 깨어났겠죠?"

철호는 토로에서 '미스터 리'라는 상표를 달아 골프공을 제작해야 한다고 역설했다. 욘은 그것이 매우 좋은 생각이긴 하지만 식품회사인 토로에서 골프공을 취급한다는 것은 좀 터무니없이 들린다며 최대한 예의를 갖추어 대답하고 끊었다.

골프는 비즈니스와 닮았다. 골프를 하다 보면 유혹을 느낄 때가 많다. 어떻게든 타수를 줄여보려고 무리한 샷을 하게 되는 것이다. 그래서 억지 코스를 선택하다 보면, 백이면 백, 공은 물구덩이나 벙커에 빠지게 돼 오히려 억울한 타수만 늘어나게 된다. 비즈니스에서도 편법을 쓰려고 잔머리를 굴리면, 반드시 그보다 더한 엄청난 함정이나 위기를 맞게 된다. 정석 플레이가 결국엔 가장 지름길인 셈이다.

이것뿐만이 아니었다. 철호는 한국에서 수입해 노르웨이에서 판매할 수 있는 것이라면 무엇이든 열성으로 토로 측을 설득했다. 해삼, 멍게는 물론 넙치와 가자미, 만두 등도 철호가 들고 나온 아이템들이었다. 가끔은 욘의 반응이 미적지근하다고 느낀 철호가 직접 토로의 최고 경영자에게 전화를 해서 자신의 아이디어를 반영시켜달라고 고집을 부린 적도 있었다.

철호는 2002년 리베르 그룹의 최고 책임자로 부상한 옛 동료 아스비외른 레인킨에게도 수십 번 전화를 했다. 그럴 때마다 레인킨은 철호의 열성에 미소를 띠지 않을 수 없었다. 기업의 이미지 및 운영 한계로 인해 철호의 아이디어를 모두 받아들일 수는 없었지만, 레인킨은 철호의 의지와 열성에 항상 감탄하며 용기를 북돋아주었다. 하지만 대부분의 경우 철호에게 생산 책임자인 욘 스탕 볼덴과 먼저 이야기해보라며 물러섰다.

한번은 두 사람이 국립극장 카페에서 만난 적이 있었다. 약속시간보다 조금 일찍 도착한 욘은 철호가 오기를 기다리고 있었다. 곧 그는 성큼성큼 카페 안으로 들어오는 철호를 보며 미소를 짓지 않을 수 없었다. 철호는 문 안으로 들어서자마자 아는 사람, 모르는 사람을 막론하고 환한 미소로 인사를 나누었던 것이다. 사람이 유명세를 타면 변하게 마련이지만 철호는 달랐다. 그는 언제나 겸손한 태도로 사람들을 대했다. 욘은 그런 철호에게 달리 할 말을 찾지 못했다. 어느 한 군데 흠잡을 곳이라곤 없는 사람이라 생각했기 때문이었다. 그리고 항상 자신만의 방식으로 '미스터 리' 상품을 마케팅하는 데 온갖 애를 쓰는 철호에게 감사하지 않을 수 없었다.

철호의 이러한 태도는 토로의 상품을 판매하는 업자들과의 미팅에서 더욱 두드러지게 그 빛을 발했다. 어떤 기업에서든 판매업자의 위치는 아주 중요하다. 기업과 소비자를 잇는 다리 역할을 하기 때문이다. 특히 새로운 상품을 시장에 소개할 때는 판매업자의 역할이 매우 중요하다. 철호는 이들 판매업자들을 설득하고 동기의식을 심어주는 데 뛰어난 역량을 발휘했다. 그는 판매업자들을 지나치게 다그치지 않고서도 제품에 대한 확신감을 심어주었다. 판매업자들과의 미팅에 여러 번 직접 참여했던 레인킨은 항상 그들을 자기 편으로 만드는 철호의 능력에 감탄하지 않을 수 없었다. 겸손한 태도와 조금 어눌하게 보이는 철호의 표정은 판매업자들로 하여금 철호를 도와주고 싶다는 생각을 자아내기에 충분했다.

토로는 항상 사람들을 몰고 다니는 미스터 리의 효과를 최대한으로 활용했으며, 이에 발맞추어 '미스터 리' 상품에는 토로의 로고를 집어넣지 않는다는 아이디어를 지속적으로 밀어붙였다. 따라서 철호는 '미스터 리'의 상품을 대변하는 얼굴로 계속 활약했으며, 이는 결과적으로 큰 성공을 가져왔다.

2000년대에 들어서면서 아이콘화된 미스터 리의 이미지를 부착한 다른 상품들이 소개되기 시작했다. 그리고 철호가 광고에 직접 출연하는 것을 그만두는 대신 토로 측에서는 미스터 리의 이미지를 애니메이션으로 만들어 광고를 제작했다. 그런데 이는 그다지 큰 성공을 거두지 못했다. 토로에서는 철호를 앞장세우지 않고서는 '미스터 리' 상품의 인지도를 키우기가 어렵다는 것을 깨닫게 되었다.

2000년대 중반으로 접어들면서, 노르웨이의 소비자들은 점점 더 동양 음식에 관심을 기울이기 시작했다. 2006년, 토로에서는 이러한 소비자들의 움직임에 대응하기 위해 동양식 튀김 및 냄비 요리를 주요 상품의 하나로 판매했다. 물론 이들 제품 역시 '미스터 리'의 상품

명으로 판매되었다. 타깃 소비자는 철호의 '미스터 리' 라면에 길들여 졌던 90년대의 청소년, 즉 그로부터 십여 년이 지난 후 성인이 돼 가 정을 꾸린 사람들이었다.

토로가 주축이 된 시장조사에서는 미혼자들과 소위 딩크족 DINK(double income, no kids: 의도적으로 자녀를 두지 않고 맞벌이하는 부부_ 편집자 주)이라 불리는 이들이 저렴하고 간편하게 요리할 수 있는 동양 음식을 선호할 것이라는 결과를 보였다. 경쟁업체와의 시장점유율 싸 움을 위해서라도 새로운 제품이 필요할 때였기에 이것은 시기적으로 도 잘 맞물렸다.

그 결과로 선을 보인 제품은 바로 '웍스타wokstar' 즉, 이미 요리가 된 면과 서로 다른 종류의 소스를 결합한 것이었다. 이 '웍스타' 시리즈는 텔레비전 광고는 물론 인터넷 홈페이지를 통해 소개되었고, 휴대폰으 로 다운로드 받을 수 있는 광고음악 및 게임으로 제작되었다.

토로는 이 상품을 시판하면서 철호의 사진을 포장에 싣는 원래의 광고전략으로 되돌아갔다. 하지만 토로 측에서는 애초에 이들 제품을 선보이면서 면밀한 홍보 전략을 세우지 않았다. 뒤늦게 따로 광고 인 력을 고용해 상품선전에 뛰어들었지만 이미 돌아선 소비자들의 무관 심을 이겨내기는 힘겨웠다.

"소스를 시장에 선보일 생각이면 '토로'라는 상품명이 겉포장에 들 어가는 것이 좋을 듯합니다. 소비자들은 '미스터 리'라는 상품명과 소 스를 결합한 이미지에는 익숙하지 않습니다. 성공적인 판매를 위해 서라면 다른 아이디어를 찾아보는 것이 나을 것 같습니다."

　타깃 소비자로 지정했던 이십 대 중반의 소비자들은 제품이 출시되자 사전 조사에서 보였던 반응과는 달리 그다지 큰 관심을 보이지 않았다. 그뿐만 아니라 판매업체들도 부정적인 반응을 보였다. 이들에게서 계속 살아남을 수 있었던 제품은 오직 '미스터 리' 라면뿐이었다.

　2009년, 노르웨이의 식품 시장에는 '미스터 리' 상표를 달고 서로 다른 열 종류의 라면이 선보였다. 토로는 지금도 여전히 '미스터 리' 상표명 하에 새로운 제품을 선보이기 위해 연구 중이다.

끝까지 포기하지 않는 집요함이 비결이다

라면왕 이철호는 '사랑에 있어서는 별로 강하지 못한데, 일에서만큼은 스스로 생각하기에도 꽤 강한 성격이다'라고 자평한다. '무엇이든 한 번 시작했으면 끝을 봐야 한다'는 아버지의 가르침을 새겨 그는 끝을 봤다고 생각하기 전에는 포기하지 않는 성격을 가지게 되었고 이것이 그의 사업을 성공으로 이끈 핵심 자질이 되었다.

도전은 사람을 나아가게 한다

나는 녹이 슬어 사라지기보다 다 닳아빠진 후 없어지리라.

—커넬 할랜드 샌더슨, KFC 창업자

일은 눈감는 날까지 할 생각이다. 움직일 힘이 남아 있는데도 일하지 않는 사람은 미개한 동물보다도 못하다. 그의 인생에서 보람을 어떻게 찾을 것인가?

● 꿈꾸는 75세 청년

미스터 리의 직업이 무엇이냐는 질문에 답하기란 무척이나 어렵다. 사실 정확하게 그는 퇴직을 했다고 해야 하지만 사실 그런 것만도 아니다. 나이가 얼마나 많든 간에 그는 결코 일에서 손을 뗄 사람이 아니기 때문이다. 아마 숨을 거두는 날까지 어떤 일이든 하고 있을 것이다. 어쨌든 철호가 '라면왕 미스터 리'라는 타이틀을 얻게 되면서부터 노르웨이에서 그가 무슨 일을 하는지 모르는 사람은 없어졌다.

철호가 노르웨이에서 '라면왕'으로 유명해지자, 한국에서도 덩달아 이름이 알려지기 시작했다. 한국의 KBS와 MBC에서, 그의 이야기를 바탕으로 1시간짜리 다큐멘터리 프로그램을 제작해 방송하기도 했다.

사실 그는 토로에 '미스터 리' 판매권을 넘기면서 퇴직자의 길을 걸을 수도 있었다. 하지만 그것은 철호 자신의 삶을 돌아봤을 때 상상할수도 없는 일이었다. 서류상으로 이미 계약기간이 만료된 지금도 그는 여전히 토로와 협력관계를 유지하며 일을 하고 있으니까. 철호는 아직까지 토로의 자문위원으로 신상품 개발에 참여하고 있으며, 토로 직원들이 한국의 라면공장을 방문하여 새로운 제품을 테스트할 때 두 업체를 잇는 다리 역할을 하기도 한다.

그리고 그가 토로에 '미스터 리' 판매권을 넘기면서 얻은 이익은 후에 새로운 상품개발에 재투자되었다. 가능성을 보였던 품목도 있었고, 손을 채 대기도 전에 실패한 품목도 있었다.

사실 나는 원래 실수투성이인 사람이다. 그래서 아내에게 타박받은 적도 많다. 실수하는 경우가 너무 많아 일일이 다 기억하기도 힘들 정도다. 하지만 실수를 걱정하지 말고 계속 시도하자. 적극적인 행동에서 빚어진 실수는 좋은 것이다. 실수로 엉뚱한 결과를 보고 나면, 거기서 많이 배우게 되기 때문이다.

전에는 음식을 수입할 생각만 했다면, 이번에는 반대로 노르웨이 해산물을 아시아로 수출할 생각이 싹트기 시작했다. 노르웨이에서 나는 신선한 대구나 연어 등에 주목한 것이 아니라, 노르웨이 사람들이 음식이라고 생각지도 않던 조개나 멍게 같은 것들에 특히 주목했다.

한국을 비롯한 아시아의 여러 나라에서는 식용달팽이 및 이러한 종류의 ˙해산물이 고급 요리로 각광을 받고 있었다. 그의 계산에 따르면 성공적인 프로젝트임에 틀림없었다. 하지만 이 일은 각국 공무원들의 이해관계와 맞물려 아직도 잘 진척이 되지 않고 있어서 그는 여전히 머리를 싸매고 있다. 그의 꿈은 노르웨이의 신선한 해산물을 아시아의 여러 지역으로 수출하기 위해 노르웨이와 한국 간의 교역을 확실히 트는 것이다. 해산물, 라면, 발가락 양말, 그리고 인삼. 이것들은 그가 노르웨이와 한국을 잇는 다리를 짓기 위해 사용했던 벽돌이요, 기반이었다.

철호는 자신의 고국이라고도 할 수 있는 두 나라, 노르웨이와 한국을 위한 비전을 가지고 있다. 그는 한국인으로 이 세상에 태어나 숨을 쉬고 일을 할 수 있다는 데 감사하고, 삶을 일구어나가는 데 도움을 준 노르웨이라는 나라가 있어 고맙다고 말한다. 그를 전쟁의 구렁텅이에서 구해준 사람이 바로 유엔에서 일하고 있던 노르웨이인이었으며, 그 후 그의 목숨을 구해준 사람도 바로 노르웨이 군인과 의료진들이었다.

그는 라면 사업에서 한 걸음 물러선 뒤부터는 노르웨이와 한국의 관계를 증진시키기 위해 어떤 식으로든 애썼다. 노르웨이인들이 한국

어린이를 입양하는 데도 물심양면으로 지원을 아끼지 않았다. 아마 이 '입양'이라는 단어는 그에게 좀 남다른 의미로 다가올 것이다. 그는 수많은 한국의 소년소녀들이 노르웨이에서 새로운 가족을 만나 안전하고 편안하게 새 삶을 시작할 수 있다는 점에 매우 감사하면서도, 동시에 다른 나라도 아닌 바로 자신의 조국인 한국에서 아이를 돌보지 못해 타국으로 떠나보내야 하는 가정이 많다는 사실에 가슴 아파하고 있다. 낯선 나라에서 피를 나눈 가족이라곤 단 한 명도 없이 홀로 새로운 삶을 시작한다는 것이 얼마나 힘겨운 일인지는 그가 가장 잘 알고 있기 때문이다.

"이 세상 어떤 부모든, 자식이 더 나은 삶을 살 수 있기를 바란단다. 나의 부모님들도 그랬겠지. 너희들을 낳고 보니 그 마음을 더 절실히 이해할 수 있게 되었어. 하지만 이 세상엔 두 종류의 부모들이 있단다. 하나는 자식들에게 정신적 지원을 하는 부모들, 다른 하나는 물질적 지원을 하는 부모들. 나는 물질적으로 부유한 삶을 살지 못했던 시절에도 마음만은 항상 부자였단다. 이 마음의 풍요와 행복은 돈으로 살 수 없는 것이지. 그건 바로 삶을 대하고 받아들이는 시선과 태도에 달려 있단다."

그는 오늘날 딸들에게 자주 이런 말을 해주곤 한다.

결국 태도가 모든 것이다

철호의 삶에 위기가 닥칠 때마다 스스로 늘 되새기는 말이 있었다. 바로 'Be happy!'다. "어떤 어려운 상황이 닥치더라도 이겨낼 수 있다는 군건한 용기와 즐거운 마음만 유지한다면 결국엔 모든 일이 잘되게 되어 있어. 찌푸린 얼굴과 부정적인 태도는 아무짝에도 쓸모가 없단다. 한번 생각해 보렴. 누더기를 입고 찌푸린 얼굴로 구걸하는 거지보다는 그나마 정갈한 옷을 입고 겸손한 얼굴로 웃으면서 구걸하는 거지에게 돈을 주고 싶을 것 같지? 바로 그거야. 난 어렸을 때 항상 배가 고팠고 바닥을 기는 생활을 했지. 하지만 항상 즐거운 마음과 태도를 지닐 수 있도록 노력했단다. 난 끊임없이 노력하다 보면 언젠가는 내가 원하는 것을 얻을 수 있을 것이라 믿었지."

화장실 청소부로 일하러 다닐 때도 나는 한 번도 비참하거나 슬프다고 느껴본 적이 없다. 항상 즐겁게 웃고 다녔다. 왜냐하면 나는 궁극적으로는 화장실 청소 일만 하려고 이 세상에 온 사람이 아니니까. 결국은 내가 원하는 일을 하게 되리라는 걸 확신했다. 그저 지금은 그 길을 찾기 위한 가파른 고갯길이라고 생각했다. 당장은 힘이 들지만, 이 고개를 넘고 나면 내가 찾던 목적지가 보일 것이라고 믿었다. 나는 지금도 확신한다. 스스로 밝고 행복한 사람은 누구도 함부로 대하지 못한다. 오히려 즐겁고 공손하게 대접받게 된다. 결국 사람은 자기 스스로

가 어떻게 행동하느냐에 따라 각기 다른 대접을 받게 되는 것
이다.

동시에 그는 구걸을 정당화할 이유는 어디에서도 찾을 수 없다고
말한다. 적어도 가능성이 여기저기 널려 있는 나라에서는 말이다.

"수많은 사람이 언제나 상황이 이러니저러니 하며 불평하지. 직장
이 마음에 들지 않는다고 불평하는 사람도 있고, 월급이 적다거나 상
사가 마음에 들지 않는다고 투덜거리는 사람도 있어. 하지만 그 사람
들에겐 따지고 보면 불평할 이유가 없단다. 그 자리에 주저앉아 불평
하기보다는 오히려 그 상황을 최대한으로 이용하려 노력하는 데 시간
을 소비하는 게 더 낫지 않겠니? 그렇다면 어떤 식으로든 상황은 바뀔
테니 말이야. 네게 꼭 해주고 싶은 말이 하나 있단다. 이 세상엔 수천
수만 가지의 직업이 존재하는데 그중에 나쁜 일자리는 없단다. 그게
좋은 일자리인지 나쁜 일자리인지는 바로 자기 자신의 노력과 태도에
달려 있어. 모든 일은 하기 나름이야. 만약 마음에 들지 않는 점이 있
다면 그것을 마음에 들도록 바꾸어야지. 이 세상엔 수많은 길이 있어.
그 길은 눈앞에 널려 있지 않아. 우린 여기저기 돌아보며 그 길을 직접
찾아내야만 해."

그가 세 딸에게 해주는 이야기를 듣다 보면 사람이 살면서 이루어
낼 수 있는 일에는 한계가 없는 듯하다.

2004년 10월 4일은 철호에게 있어 기억할 만한 날이었다. 그는 혜
정과 함께 칼 요한 거리의 오르막길 꼭대기에서 방향을 틀어 일반인

에겐 출입이 금지되어 있는 한 건물 안으로 들어섰다. 그곳은 바로 왕궁이었다. 그는 국왕으로부터 〈위대한 노르웨이인 훈장〉을 받기 위해 왕궁에 초대되었던 것이다.(253페이지 사진 참조)

국왕을 향해 고개를 깊이 숙여 인사를 하던 철호의 마음은 어땠을까? 그날 찍힌 사진 속, 미소를 짓는 그의 두 눈은 평소보다 훨씬 더 작아졌고, 마치 두 개의 가느다란 실 같았다. 라면의 포장지 속 캐릭터처럼 말이다.

그날 왕궁에 초대된 이들은 훈장 수상자 40명이었다. 수상자들에게 나누어진 팸플릿에는 각 수상자를 소개하는 글귀가 짤막하게 적혀 있었다. 철호를 설명하는 문장은 다음과 같았다.

'노르웨이에서 미스터 리로 알려져 있으며 노르웨이와 한국의 재향군인들을 위해 많은 활동을 해왔음.'

국왕 하랄Harald과 철호는 같은 해, 같은 달에 태어났다. 하지만 두 사람의 삶은 그보다 더 다를 수는 없었다. 그렇지만 2004년 10월 4일, 두 사람은 결국 만날 수 있게 되었다. 하랄은 미스터 리를 향해 지금까지의 노력에 감사를 전했다. 마침내 철호는 국왕에게 그간 자신의 삶을 이어오는 데 바탕과 길잡이 역할을 해주었던 나라, 노르웨이가 있어 감사하다는 말을 직접 전할 수 있었다.

2005년 노르웨이 국민 박물관이 〈가능성의 나라?〉라는 제목으로 외국문물 전시회를 열었을 때, 철호의 지난 이야기는 그 전시회의 중심을 차지했다. 이와 관련해 노르웨이의 최대 일간지 중 하나인 〈아프텐포스텐〉은 그에게 인터뷰를 요청했다.

　당신이 살아온 배경에 대해서 어떻게 생각하느냐는 기자의 질문에 철호는 이렇게 대답했다.

　"식탁 앞에 앉아 음식이 차려질 때까지 기다리는 사람이 있다면 차라리 그에게 음식을 만들어 먹을 수 있는 도구를 주십시오. 그에게 진정으로 필요한 것은 단 한 끼의 음식이 아니라 앞으로도 여러 번 직접 음식을 만들어 먹는 데 필요한 도구입니다. 노르웨이는 제게 그 도구를 주었습니다. 저는 이 선물에 깊이 감사하고 있습니다. 만약 노르웨이가 제게 매일 식사를 날라주었다면 저는 이렇게까지 감사하지는 않았을 것이 분명합니다. 이게 바로 제 대답입니다."

　나는 남의 나라에서 똥지게도 졌던 사람이다. 그런 일을 하면서도 나는 한 번도 비참하다거나 희망이 없다고 생각해본 적이 없다. 사람들이 예전보다 못한 상태에 놓이는 걸 두려워하는 이유는 자신감이 없기 때문이다. 자신이 거기서 영영 끝나버릴지도 모른다는 절망감 때문에 두려워하는 것이다. 하지만 스스로를 믿는 사람은 다르게 생각한다. 어려운 상황을 만나도 이 길은 잠시의 내리막길일 뿐이며, 그다음에는 새로운 길을 갈 수 있다는 걸 믿는다. 삶을 살아가는 데 있어서 자신에 대한 믿음만큼 큰 힘은 없다.

일은 인생의 보람이다

라면왕 이철호는 2011년 현재 기준으로 75세라는 고령에도 불구하고, 일을 그만두는 것은 상상도 하지 못한다. 그에게 있어서 일은 삶의 보람과 행복을 찾는 가장 중요한 수단이기 때문이다. 그는 노르웨이 최대 식품회사인 토로에 판매권을 넘긴 이후에도 여전히 신상품 개발과 판촉 활동에 열성이며, 한국과 노르웨이를 잇는 각종 지원사업도 추진 중이다. 그에게 있어 일이란 눈감는 마지막 순간까지 해야 하는 어떤 것이다.

결국은 '태도'가 모든 것이다

라면왕 이철호는 "어려울 때나 풍족할 때나 삶을 대하는 시선과 태도가 가장 중요하다"고 강조한다. 당장은 비참하고 힘들어도 그것은 자신의 길을 찾기 위한 잠깐의 과정일 뿐이다. 불평, 불만, 찌푸린 얼굴, 부정적인 태도는 인생에 어떤 도움도 안 되며, 아무리 열악한 상황에서도 항상 긍정적인 태도와 이겨낼 수 있다는 용기, 밝은 표정을 유지하면 결국엔 모든 일이 잘되게 되어 있다.

국왕 알현
2004년 10월 4일, 왕궁에 도착해 국왕 내외와 인사를 나누는 철호와 아내 혜정. 철호는 이민자 최초로 노르웨이 국왕이 수여하는 <위대한 노르웨이인 훈장>을 받았다.

다정한 아빠와 딸
철호와 그의 막내딸이자 이 책의 저자인 이리나의 최근 모습.

절대 넘어지면 안 되는 산 이야기

두 사람이 같은 창살을 통해 바깥을 보지만
한 사람은 진흙탕을, 또 한 사람은 별을 본다.

－ 프레드릭 랭브릿지, 영국의 시인이자 종교작가

　옛날에 한 청년이 돈을 벌기 위해 시내로 나가 과일과 채소를 팔았다. 그는 직접 딴 과일과 신선한 배추, 고추 등을 커다란 바구니에 가득 담아 어깨에 짊어졌다.

　시내로 나가기 위해서는 작은 산을 하나 넘어야 했는데, 이 산에서 넘어지면 3년밖에 살지 못한다는 전설이 동네에 전해져오고 있었다. 그는 이 전설을 굳게 믿고, 이 산을 넘을 때면 길가의 돌멩이나 잔가지를 잘못 디뎌 넘어지지 않도록 각별히 조심했다. 그렇게 해서는 시내까지 꽤 오랜 시간이 걸리는데도 넘어지지 말아야 한다는 생각에 개의치 않았다.

　시장에 도착하면 그는 다른 장사꾼들과 나란히 앉아 물건을 팔았다. 항상 일찍부터 서두르는 탓에 좋은 장소를 선점하곤 했다. 그날도 좋은 자리에 앉아 물건을 팔고 있는데, 첫 손님으로 허리가 구부정한 할머니가 왔다.

"귤 하나 주세요."

"예, 여기 있어요. 혹시 배추는 필요 없으세요? 아주 싱싱해요. 오늘 이 장에서 상태가 제일 좋다고 장담합니다."

청년은 이렇게 손님이 찾아오면 항상 덤으로 한두 가지를 더 팔려고 애썼다. 특히 첫 손님인 경우에는 더욱 그랬다. 첫 손님에 그 하루의 장사가 달려 있다고 믿었기 때문이다.

"아닙니다. 손님이 뭘 필요로 하는지 아는 것도 중요하지요. 오늘은 귤 하나만 파세요."

할머니는 청년의 눈을 지그시 쳐다보며 말했다. 청년은 그 눈길에 기분이 괜히 찝찝해졌다. 하지만 뒤이어 들이닥치는 손님들 때문에 할머니에 대한 생각도 곧 잊었다.

해가 저물자, 손님들의 발길이 뜸해졌다. 청년은 들고나온 것들을 모두 팔아 만족스러운 듯했다. 그는 돈으로 가득한 주머니를 어루만지며 아내에게 자랑할 생각에 휘파람이 절로 나왔다. 물건을 팔던 자리를 정돈하고 빈 바구니를 어깨에 걸친 뒤 집으로 향했다.

산 중턱에 이르자 문득 그날의 첫 손님이었던 할머니가 떠올랐다. 자신을 바라보던 눈길이 어딘지 모르게 이상했던 것도 잊을 수 없었다. 마치 아무도 모르는 어떤 비밀을 알고 있는 것만 같았다. 그렇게 곰곰이 생각에 잠긴 채 발걸음을 옮기던 그의 앞에 돌멩이 하나가 굴러왔다. 발을 잘못 디딘 그는 넘어지지 않기 위해 애썼지만 때는 이미 늦어 길 위에 넘어지고 말았다.

그는 바닥에 엎어진 채 한참을 가만히 누워 있었다. 넘어지면 안 된다는 산에서 이렇게 넘어져 버렸으니, 이제 3년밖에 살지 못할 게 분명했다. 산의 저주가 두려워 도무지 일어날 수도 없었다.

청년은 천천히 일어나 몸을 살폈다. 크게 다친 것 같지는 않았다. 이어 바닥에 주저앉아 흩어진 돈을 주워 모으기 시작했다. 하지만 이미 그에겐 모두 의미 없는 일이었다. 아무런 생각도 들지 않았다.

집으로 돌아오는 길에 그는 산에서 넘어졌다는 이야기를 아무에게도 하지 않으리라 결심했다. 그의 운명은 이미 결정된 것이나 다름없었다. 다른 사람에게 이야기해봤자 지난 일을 돌이킬 수는 없는 법, 그를 죽음에서 구해줄 사람은 아무도 없었다. 앞으로 3년이면 그는 이미 저세상 사람이 되어 있을 것이었다.

산에서 넘어진 후 한 해 동안은 여전히 시장에서 장사를 계속했다. 하지만 돈을 아무리 많이 벌어도 전혀 기쁘지 않았다. 그리고 그다음 해도 그럭저럭 보냈다. 달라진 게 있다면 등에 통증이 생겼다는 것이었다. 그 통증 때문에, 시장을 오가는 발걸음은 전보다 훨씬 느려졌고, 시장으로 가져가는 물건의 양도 눈에 띄게 줄었다. 그리고 장사를 다 마치지 못하고 일찍 돌아와 잠자리에 들기 일쑤였다. 아내는 의원에게 가보라고 재촉했다. 그러나 그는 아내의 말을 듣지 않았다.

그리고 산에서 넘어진 뒤 3년째가 되던 해, 슬슬 흰머리가 하나둘 나기 시작했다. 그의 모습이 너무 달라져, 친지들은 물론 오래 알고 지내던 친구들까지도 그를 못 알아볼 지경이었다.

"도대체 무슨 일이야? 아무 일 없는 거야?"

그는 더 이상 시장에 나가지도 않았고, 건강도 의욕도 잃은 채 집에

257

서 소일거리만 했다. 그런 그의 모습을 본 아내는 참지 못하고 다그쳐 물었다.

"대체 무슨 일이에요? 말 좀 해봐요. 갑자기 이렇게 시들시들해진 이유가 뭐냐고요. 의원에겐 왜 가지도 않고요!"

"의원을 찾아가도 소용없어."

"무슨 말이에요?"

그는 그제야 아내에게 모든 것을 털어놓았다. 3년 전 산에서 넘어진 이야기를 하며 그간 아무에게도 말하고 싶지 않았다고 고백했다. 자신의 비극적인 운명 때문에 아내까지 슬퍼하는 모습을 보고 싶지 않았다.

"내 살다 살다 오늘처럼 어이없는 말은 처음 듣네요. 그래, 산에서 넘어졌단 얘기를 3년 동안이나 비밀로 해왔다고요? 난 당신이 죽을 운명이라는 걸 믿을 수 없어요!"

아내는 실망을 감출 수 없었고, 동시에 남편이 곧 죽을 것이라는 생각에 두려워졌다. 그녀는 서둘러 시내로 향했다. 의원이라도 찾아가 도움을 청해볼 생각에 온 힘을 다해 달리던 그녀는 산 가까이에 이르자 넘어지지 않기 위해 발걸음을 늦췄다. 청년의 아내 역시 산에 전해 내려오는 전설을 잘 알고 있었기 때문이다. 그렇게 천천히 산을 오르던 그녀는 산꼭대기에서 걸음을 멈추었다. 산꼭대기 길 한복판에는 나이 많은 할머니가 자리를 잡고 앉아 있었다.

"여기서 뭐 하시는 거예요?"

그녀는 혹시 할머니도 넘어진 게 아닌가 싶어 걱정스레 물었다.

"햇살이 따스한 게 좋아서 여기 앉아 볕을 좀 쬐고 있다오. 오늘은 봄볕이 유난히 화창하구먼. 새댁도 여기 앉아 같이 볕 좀 쬐다가 가요."

"아니에요. 저는 그럴 시간이 없어요. 죄송하지만 길을 좀 비켜주시면 안 될까요? 급한 일이 있어서요."

"무슨 급한 일인가요?"

"남편이 아파서 집에 누워 있어요. 언제 죽을지도 모르겠고요."

"그래요? 남편이 무슨 병에 걸리기라도 했수?"

그녀는 남편이 3년 전 바로 그 산에서 발을 잘못 디뎌 넘어졌으며, 이제 3년이 지나 죽을 날만 기다리고 있다고 말했다.

"자, 걱정하지 말아요. 모든 일이 잘될 테니까. 내가 도와줄게요. 나와 같이 갑시다."

침착한 할머니의 태도에 그녀는 마음을 고쳐먹고 할머니와 함께 집으로 되돌아갔다. 아내와 함께 집에 온 할머니를 본 남편은 깜짝 놀랐다.

"아니! 저분은…."

그는 할머니를 기억하고 있었다. 언젠가 귤 하나만 팔라며, 의미심장한 눈빛을 남기고 간 할머니였다. 바로 그가 산에서 넘어지던 날 첫 손님으로 만났던 할머니였다.

"자, 진정해요. 나를 알아보는군요. 마음을 진정시키고 천천히 생각을 해봐요. 그러면 내가 해줄 말을 알 수 있을지도 모르니."

할머니는 그의 손을 잡으며 말했다.

"당신은 죽지 않을 거요. 적어도 지금은 죽을 때가 아니지. 지금 당신이 해야 할 일은 당장 일어나 옷을 입고 신발 끈을 동여맨 후 산으로 가는 것이라오."

"지금 제가 죽을 날만 기다리고 있는 걸 이렇게 두 눈으로 직접 보시고도 그런 말씀이 나오세요? 제게는 3년이라는 시간이 있었고, 이제 그 3년도 끝을 향하고 있단 말입니다."

그는 할머니가 무슨 말을 하는 건지 도저히 이해할 수 없어, 고개를 절레절레 흔들었다.

"맞소. 그 산에서 넘어지면 그날로부터 3년밖에 살지 못한다는 전설은 사실이오. 하지만 만약 더 살고 싶다면 당장 그 산으로 다시 가보시오. 산으로 가는 동안 앞으로 얼마나 더 살고 싶은지 잘 계산하길 바라오. 3년을 더 살고 싶으면 한 번 더 넘어지면 될 것이고, 그보다 더 살고 싶다면 그것에 맞게 넘어지면 될 게 아니오? 이제 내 말을 이해하겠소?"

그는 그제야 할머니의 말을 이해할 수 있었다. 그는 당장 집을 뛰쳐나가 산으로 갔다. 그리고 산 중턱에서 수도 없이 데굴데굴 굴렀다. 그의 밝고 환한 웃음소리는 온 산에 메아리가 되어 울려 퍼졌다.

이 이야기의 핵심은? 특정한 '믿음'은 인간의 정서에 큰 영향을 미친다. 심지어 삶과 죽음을 결정할 정도로 영향력이 크다. 하지만 무엇을 어떻게 믿을지는 전적으로 우리에게 달렸다. 똑같은 일이라도 그것을 어떤 시각과 믿음으로 해석하고 반응하느냐에 따라 결과는 천차만별로 달라진다. 바로 그것이 세상의 진리다.

라면왕과 독자와의 대화
100문 100답

자서전 탄생 과정

독자 어떻게 셋째 따님에게 자신의 자서전을 쓰게 하셨습니까?

이회장 그건 우리 셋째 딸이 직접 대답해주는 게 좋을 것 같군요.

이리나 세 딸 중 누군가가 아버지의 이야기를 써야 한다면 언론인인 제가 쓰는 것이 가장 적절하다고 오래전부터 생각해 왔어요. 마음만 먹고 실천을 못 하다가 저 자신이 엄마가 되고 나서야 아이들에게 할아버지 이야기를 제대로 알려주기 위해서라도 당장 집필을 시작해야겠다고 생각했죠. 한국어판 출간은 꿈도 꾸지 못했는데 이렇게 책을 내고 한국에 와 있다는 게 믿기지 않네요.

독자 따님이 아버지의 자서전 집필을 했다는 것이 흥미롭습니다. 따님분, 자기소개 좀 더 부탁드립니다.

이리나 저는 세 딸 중 막내로, 노르웨이 오슬로에서 태어났고요. 노르웨이 일간지 〈베르겐스 티덴드〉에서 기자로 일했고, 노르웨이 타임스 뉴욕 특파원으로도 근무했습니다. 현재는 오슬로에서 활동하는 프리랜서 저널리스트 겸 작가입니다.

독자 회장님은 구체적으로 어떤 식으로 따님에게 자신의 이야기를 전해

주었습니까?

이회장 전 그냥 제가 겪었던 일을 얘기만 해줬습니다. 우리 아버님이 재산은 있다가도 없고, 없다가도 있는 것이지만 배움은 평생의 자산이라고 늘 말씀하셨는데 저도 그 가르침을 따라 아이들에게 늘 배우기 위해 노력하고 꿈을 좇아가라고 말했습니다.

독자 회장님께서 이 책을 통해 독자들에게 전하고 싶었던 이야기는 무엇입니까?

이회장 일단 출발했다면 우물쭈물하지 말고 어떻게 꿈을 완성할지만 생각하고 노력하면 누구든 꿈을 이룰 수 있다는 얘기를 하고 싶었습니다.

독자 책 작업 과정은 어떤 식으로 진행됐습니까?

이회장 이리나는 2008년 봄부터 저의 자서전 집필을 시작했습니다. 부엌에서 한 달간 거의 매일 저와 얘기를 나눴죠. 하루 3~4시간씩 질문하면서 컴퓨터에 받아 적었어요. 자라면서 자주 들어온 얘기지만 기자답게 아주 객관적으로 쓰고 싶어 하는 것 같았어요. 더 객관적이기 위해 다른 사람들 얘기도 들으러 다니더라고요.

독자 그럼 함께 한국에도 다녀가셨나요?

이리나 네, 2009년 가을 한국에 왔었습니다. 친척들을 만나 아버지의 한국 시절 이야기를 들었습니다. 엄마와 연애할 때 주고받은 편지 200여 통도 모두 읽었고요. 6년 넘게 오고 간 편지들을 읽으며 연도별로 어떻게 관계가 진행됐는지 다 정리했어요. 책을 쓰는 데 아주 중요한 자료들이었죠.

독자 아빠의 어려웠던 시절 이야기를 빼놓을 수 없었을 텐데 따님이 집필자로 인터뷰를 하니까 어떠시던가요?

이회장 글을 써 내려가며 우리 둘은 많이 울었습니다. 힘겨웠던 과거를 회상하자니 어쩔 수 없이 감정이 북받쳤던 것이죠. 이리나는 엄마가 돌아가실 때 얘기가 특히 슬펐다고 했고요. 잊혀진 과거, 잃어버린 시간들을 생각하니 슬펐다고 했습니다. 하지만 좋은 기회이기도 했지요. 함께했던 기억들이 떠올랐기 때문이었지요. 제 역사가 되어준 온갖 굴곡과 역경의 시간들을 기자 출신인 딸이 꼼꼼히 정리해주니까 아주 든든하던걸요?

어린 시절

독자　회장님께서는 1937년 2월 23일 충청북도 천안에서 출생하셨습니다. 어릴 적에는 어떤 성격이셨는지요?

이회장　저는 천안에서 태어났고 천안국민학교를 졸업했습니다. 37년에 태어났으니까 그때는 일본 사람들이 우리나라를 다스릴 때거든요. 그래서 저는 해방 전까지만 해도 대한민국이라는 나라를 모르고 지냈었습니다. 대한민국이라는 나라를 알게 된 것이 45년 8월쯤이었습니다. 대한민국이라는 나라가 있다는 것을 알고 그때부터 한국말을 열심히 배우려고 노력했어요. 한국말을 배우고 있는데, 5년 사이에 한국전쟁이 또 났어요. 그러다 보니까 한국말을 쓸 일이 별로 없었고, 미군부대 쫓아다니면서 하우스보이 노릇하고, 구두 닦고, 빨래해주고, 청소해주고 그러다가 미국말을 조금 배우게 됐어요. 제가 참 일을 잘한다고 '넘버원 하우스보이'라고 불렀어요. 일 열심히 잘한다고 미군들이 저를 굉장히 좋아했어요. 그리고 저를 자기네 장군한테 선물했어요. 구두도 잘 닦는 똑똑한 '넘버원 슈샤인보이'라고도 해서 스나이더 장군한테 저를 기부한 셈이죠. (웃음)

저는 그 밑에서 일을 하다가 부상을 당하게 됐습니다. 당시 한국에서는 절대 고칠 수 없는 부상을 당했기 때문에 스나이더 장군이 미국이나 다른 의학 발전이 잘된 나라로 저를 보내려고 했는데 미국에서는 그때만 하더라도 부상당한 환자들이나 그 가족들을 초청 못 하게 돼 있었어요.

그래서 여러 나라에 요청을 했는데 그중 노르웨이라는 나라에서 고쳐주겠다고 해서, 그때만 하더라도 제가 노르웨이 야전병원에 입원하고 있을 때인데 파우스 박사라는 분이 하는 말이, 제가 만약에 노르웨이를 선택할 것 같으면 자기가 틀림없이 노르웨이에 들어가서 내 병을 고쳐주겠다고 하더라고요. 저는 온 세계가 다 미국인 줄 알아서 노르웨이도 미국 어디에 속해 있는지 알고 그럼 가겠다고 했습니다. 그렇게 노르웨이로 왔어요. 그것이 1954년도이고, 외국으로 가기 전까지만 해도 그때는 일본을 거쳐서 가게 되어 있었고 일본을 거쳐서 가려면 비자라는 것이 나올 때까지 기다려야 했는데, 그 비자를 일본에서 잘 안 내주더라고요. 그래서 저는 부산역 앞에 있는 조그마한 여관에서 3~4개월을 묵었어요, 그 비자를 기다리느라고. 한참 비자를 기다리다 보니까 결국은 나왔어요.

독자 그때 부산에 계실 때 나쁜 친구들이 조금 있었다고 들었는데요. 그 친구들은 어떤 사람들이었습니까?

이회장 그곳에 나쁜 친구들이 많았지요. 그런데 저는 그 사람들이 나쁜 친구들이라고 생각 안 하고, 저도 그와 비슷한 상태였으니까 잘 몰랐지요. (웃음) (독자들 웃음)

그러니까 사실은 다 친구들인 셈이었지요. 그래서 떠나는 날 제가 작별파티를 하겠다고 해서 제가 아는 사람 한 30~40명 되는 사람들을, 그러니까 전부 길에서 주운 사람들이죠, 데려와서 같이 즐기려고 막걸리인가 뭐 그런걸 마셔가며 있는 재료 해서 여관 아줌마가 만들어 준 거, 그걸 같이 나눠먹고 즐겼는데 다음 날 일어나보니까 제 옷까지 다 벗겨갔더라고요. 옷도 벗겨가고 구두도 없어졌고, 있는 것은 책 몇 권 하고 여권, 비자만 남겨놓고 다 가져가버렸어요.

독자 그것만 빼고 그 거친 친구 분들이 전부 다 가져갔군요. 그렇게 잘 대해주고 파티까지 열어준 친구한테 너무한 것 아닙니까?

이회장 그 친구들이 필요했나 보죠. (독자들 웃음) 여관 아줌마가 제가 불쌍하다고 다 떨어진, 남편이 입던 옷인지 아들이 입던 옷인지 모르겠는데, 여하튼 걸레 같은 옷을 저한테 주고서 밑에만 가리는 것으로 해서 버스로 서면이라는 데까지 갔죠. 서면에 미국 비행장이 있었거든요. 거기까지 가는 버스표를 한 장 끊어줘서 제가 거기까지 갔어요. 그랬더니 비행기는 서 있는데 보초들이 망을 본 채로 저를 못 들어가게 하더라고요. 거지 같은 놈이 공부한다고 책 몇 권 들고 와서는 아는 척한다고, 미쳐도 단단히 미쳤다고 안 들여보내줘서 들어가려고 애를 쓰다가 거기 헌병들한테 많이 얻어맞았어요.

그런데 제가 부산에 있을 때만 하더라도 부산에 스웨덴 병원이 있었거든요. 스웨덴 병원 담당 의사선생님이 뮤오스라는 분인데, 지금은 돌아가셨어요. 그분이 저를 붕대 치료를 해주셨는데 그래서 매일 병원으로 붕대를 바꾸러 갔어요. 붕대로 저를 감아줄 때, 허리에서 지렁이가 나오고 별게 다 나왔어요. 그분이 스나이더 장군의 부탁으로 저를 위해서 비행장까지 오셨었어요. 그런데 저는 구석에서 얻어터지고 징징 울고만 있으니까, 그분이 처음엔 저를 몰라보고, 비행기에 들어가 비행기를 멈추고 노르웨이로 가는 환자가 있으니 조금 기다리라고, 비행기 모터를 꺼놓고 저를 기다리게 했어요. 그러고 나서도 한참 찾다가 저를 발견하신 거예요. 그분이 저하고 한참 이야기하니까 그제야 헌병들이 '우리가 잘못했구나. 이 애는 진짜 미국 아이로구나… 영어를 저렇게 잘하는 걸 보니.' 그러고선 자기들은 몰랐다고, 두들겨 패 놓고 미안하다고 하더라고요. (독자들 웃음) 그러더니 저를 비행기 안에 실어주더라고요. 그렇게 노르웨이로 가게 되었습니다. 우여곡절이 참 많았죠.

노르웨이 초기 시절

독자 노르웨이에 처음에 가셨을 때 낯선 외국인이라고 해서 차별 같은 것은 안 받으셨나요?

이회장 차별요? 저는 그렇게 느껴본 적은 없고요. 사람들이 저를 굉장히 많이 쳐다보고 졸졸 쫓아다니기는 했어요. 주로 아이들이 계속 쫓아다니면서 손도 만져보고 머리카락도 뽑아가는 경우가 많았지요. (독자들 웃음)

독자 노르웨이와 독일 등지를 돌아다니시면서 어린 나이에 많은 나라를 경험하셨는데 외국어나 그 나라의 문화를 배울 때 힘들거나 하지는 않으셨는지요?

이회장 그것도 저는 심각하게 생각은 안 했고, 누구나 다 태어날 때 눈과 귀를 가지고 있잖아요. 언어라는 것은 자꾸만 듣게 되면, 열심히 노력하면 어느 새 음악 같이 탁 트일 때가 있어요. 귀에 물이 많이 고였다가 물이 쭉 뽑아져 나오는 그런 기분이 나요. 그때부터는 그 나라 말을 알아듣게 되죠. 어느 곳에 가든지 그 나라 말을 모르면 그 사람은 바보 취급 받아요. 왜냐하면 언어를 알아야 그 나라 역사와 풍속도 알게 되고 그 나라 문화를 알게 되기 때문에, 그 나라 말은 머무는 동안에 배우는 것이 제일 좋은 자세예요. 그 나라 사람들하고 친해지고 이웃 사람들하고 말을 섞어서 해보고, 도움을 받더라도 그 나라 사람들한테 도움을 받아야지, 자기 동포들한테 도움을 받으면 또 다른 의미의 차별밖에는 안 된다고요.

그래서 저는 항상 어느 나라를 가든지, 불란서에 가면 불란서 사람들하고 친구 되고, 스위스 가면 스위스 사람들하고 친구 되고, 노르웨이 가면 노르웨이 사람들하고 친구 되지, 저는 노르웨이에도 한국 친구 없어요. 한국 사람들이 어떤 일에 대해서 어떻게 해야 되는지 물어볼 때는 있죠. 그러면 어렇게 해야 한다는 것은 가르쳐주지만 친구 식으로 같이 술 마시고 그런 것은 안 했어요.

독자 노르웨이 생활 초기에 영양실조로 입원을 하신 경험도 여러 번 있으시죠?

이회장 제가 노르웨이 있을 때만 하더라도 노르웨이도 참 가난한 나라였어요. 한 5년 만에 제2차 세계대전 끝날 때 노르웨이도 독일 사람들한테 침략받은 나라거든요. 그 나라도 제가 갔을 때만 해도 굉장히 가난했어요. 감자를 깎지도 않고 먹던 나라가 그 나라였어요. 감자를 깎게 되면 살이 없어진다고 해서 감자 그대로 씻어서 소금물에 삶아서 그대로 먹고 그렇게 살던 나라였어요.

그래서 음식이 풍부하지 않았어요. 저도 그때만 하더라도 배고플 때 빵가게에 가서 유효기간이 지난 묵은 빵을 모아달라고 했는데, 묵은 빵은 뭐할 거냐고 묻더군요. 그래서 공원에 가면 새들이 빵을 좋아하니 부셔서 새들한테 준다고 했더니 참 좋은 사람이라고 칭찬 많이 받았어요. 그런데 새가 저였어요. (독자들 웃음) 물에 불린 빵을, 물에다 이렇게 담가놓으면 풀어져요. 그러면 죽이 되더라고요. 그렇게 먹고 자고 몇 년을 버텼어요.

지금 사는 한국 청년들은 모를 텐데 지금은 청년들이 아빠, 엄마한테 뭐 사달라고 해서 돈 없다고 하면 은행에 가서 사인만 하면 돈 나온다고 그러니까. 밥이 없다 그러면 라면 먹지요. 그런다면서요? (웃음) (독자들 웃음)

견습생 시절

독자　요리 쪽으로 진로를 정하신 뒤 스위스호텔에 들어가서서 처음 견습생 하시던 시절, 감자 깎던 시절에 대한 말씀을 생생하게 듣고 싶습니다.

이회장　저는요, 특징이라고 그러나요? 한국 사람들의 특징이라고 볼 수도 있지만 자기가 스스로를 추켜세우는 것보다도, 어떤 일이든지 열심히 해서 다른 사람들이 발견하게끔 만드는 게 제일 중요하다고 생각해요. 일이라는 것은 천한 일이 없어요, 이 세상에. 어떤 일이든지 자기가 갈 길을 찾아 가지고 바닥부터 시작해서 이웃 사람들이 '아! 저 사람은 참 이런 일을 잘한다'고 해서 뽑아줄 때까지 기다려요.

누구든지 여기 계신 분들이 다 뭐 의학 박사님이 되시라는 것은 아니에요. 그런데 이 세상에 직업이라는 게 수천 가지가 있는데, 자기 취미에 맞춰서 가되 한번 결심하고 걷기 시작한 길은 다시 돌아가지 말라는 뜻이에요. 하여튼 가던 길을 다시 돌아가게 되면 그건 헛간 길이 되는 거에요. 그렇기 때문에 끝까지 노력하시면 여기 계신 분들이 장관도 될 수 있고, 장인이 될 수도 있고, 요리사가 될 수도 있고… 뭐든지 다 될 수 있는 분들이라고. 그 길은 자기의 갈 길을 잘 생각해서 맞춰서 가면 돼요.

제가 요리 공부를 시작한 것은 배가 고팠기 때문에 주방에 들어가면 남은 음식 찌꺼기라도 먹어서 배를 불릴 수 있을까, 하는 그런 아이디어가 생겨서 주방에 들어가서 소지(청소)부터 시작한 겁니다. 제가 그렇게 소지를 시작하니까 너무 잘한다고 주방장이 저한테 요리에도 관심이 있느냐고 그러더라고요. 하얀 모자를 머리에 쓰고 깨끗한 옷 입고… 요리사들이 굉장히 부럽더라고요. 그래서 하고 싶다고 했어요. 하여튼 시키는 건 모조리 다했고, 그 위에 사람들이 더 있었지요.

제가 그때 돈이 없었어요. 그냥 가서 일만 해주고 밥만 얻어먹고 그랬었는데, 제가 거기까지 걸어가려면 한 2시간 가는 길인데 차편이 없었어요. 배달을 늦게 오는 사람이 하나 있었어요. 그래서 그 사람 기다리는 동안 공짜로 매일 두어 시간씩 더 열심히 일해준 거예요. 일해 주면서 그 사람이 오면 배달하는데 같이 옮겨주고 하면서… 그 차 타고 제가 사는 숙소까지 가기 위해서 그렇게 일했어요.

독자　스위스에서 요리사학교를 졸업하시고 노르웨이로 취직하러 가신 거죠?

이회장　네, 제가 스위스에 갔을 때는 그래도 일류 요리사 소리를 들었었어요. 학교까지 마치고 근사한 졸업장 받아서 스위스 일류호텔에 가서, Beau Rivage(보 리바지)라는 호텔에 요리사로 직장을 얻어서 갔는데 딱 성적표를 보더니 노르웨이에도 요리사가 있냐고 무시하더라고요. 무슨 노르웨이 요리사냐고 자기는 들어보지도 못했다고 너는 감자나 깎으라고 하더라고요. 그래서 제가 군말 없이 "네, 감자 깎겠습니다." 하고 들어가 보니, 거기에 스페인 사람들 한 19명이 감자를 깎아요. 그 사람들하고 같이 쭈그려 앉아서 같이 감자를 깎았어요. 저는 아침에 주방에 들어가면, 감자를 깎기 전에 무슨 무슨 소스에, 파스타에… 메뉴를 다 본다 말이에요. 그러면 여기에는 무슨 감자가 필요하고, 여기에는 무슨 감자가 필요하고, 감자도 수십가지가 있어요.

독자　남이 시키지도 않았는데 요리별로 감자 모양을 다르게 깎아 주셨다는 말씀이죠?

이회장　네, 그래서 제가 그것을 다 만들어서 판에다 딱 까서 주방에다가 갖다 주니까 그 사람들이 자기네 할 일을 제가 다 해 준다며 너무 좋아 가지고, 거기서 칭찬을 많이 받았어요. 그래서 나중에 주방에 어느 요리사가 그만둘 때 저를 부르더라고요. 이제부턴 네가 맡으라고. 그래서 제가 거기 수십 명 앉아 있던 스페인 사람들 중에 제일 나중에 들어와서 제일 먼저 요리사가 됐지요. 그랬더니 스페인 사람들이 화가 잔뜩 나서, "이 사람이 제일 늦게 들어왔는데 제일 먼저 들어간다"고 그만둔 스페인 사람들이 많았어요.

독자 들어가신 지 6개월 만에 2년, 3년 되신 분들을 제치고 바로 요리사가 되신 거네요?

이회장 네, 자기가 믿던 사람은 어디를 가든지 누가 지켜보게끔 되어 있어요. 한국 속담에도 '낮말은 새가 듣고 밤말은 쥐가 듣는다'고 하죠. 제가 스위스 갔을 때도 파크호텔이라고, 노르웨이에서는 제일 유명한 호텔이지요. 그 주인이 저를 계속 살펴봤어요. 지금 아차라는 놈이 어디 가 있는가, 무슨 일을 하고 있는가, 그분이 계속 살펴보더라고. 저는 몰랐지요. 그랬더니 한번은 전화가 와요. 그러더니 내가 너를 데리러 갈 테니까 몇 월 며칠에 준비하라고. 그래서 그분이 와서 저를 다시 노르웨이로 데려갔어요. 데려간 이유는 거기 주방장이 그만두면서, 덴마크 사람인데 그 사람이 덴마크 어느 대학에 교수로 가기로 해서 저를 거기에 대신 넣어줬으면 좋겠다고 제의를 한 거죠. 그래서 그분이 저를 데리러 스위스까지 오셨더라고요.

제가 거기에서 일하다가 독일 여자하고 결혼하게 됐어요. 결혼해서 처음에 딸을 하나 낳았어요. 그랬더니 독일 친척들이 계속 주말마다 올라오더라고요, 손녀딸 보러. 제가 계산이 좀 빨랐어요. 계산해보니까 그 비행기 값만 하더라도 제 월급보다 훨씬 많더라고요. 그래서 제가 그랬지요. 그러지 말고 부모님들 올라오는 것보다 제가 가서 놀고먹더라도 그 비용은 오른쪽 주머니, 왼쪽 주머니 가릴 것 없이 여하튼 세이브는 되니까 제가 독일로 가겠다고요.

독일 가서 직장을 구하려고 했더니 생김새가 중국 사람 같이 생겨서 잘 안

되더라고요. 그래서 그럼 이왕 여기까지 내려왔으니까 제가 식당을 하나 여는 게 좋겠다고 해서 하나 열었어요. 노르웨이 식당을 거기 독일에다가 연 거죠. 그리고 그 식당이 굉장히 파퓰러했었어요. 그때 처음으로 식당 사업에 뜻을 뒀어요.

그런데 독일 공기가 노르웨이만큼 좋지 않아요. 공기 때문에 사람들이 골치를 많이 앓고, 공기와 관련된 병이 많이 있더라고요. 그래서 우리 가족은 공기 때문에 노르웨이로 다시 돌아갔어요. 또 노르웨이 간 것이 제가 가고 싶어서 간 것이 아니라 데리러 왔기 때문에 간 거예요. 그러니까 뭐든지 자기할 일을 계속 열심히 하게 되면 이웃 사람들이 보기 때문에 데리러 와요.

레스토랑 경영자 시절

독자 그렇게 해서 다시 노르웨이 오슬로에서 식당을 경영해 대성공을 거두시고 15개 체인점으로까지 성장시키셨다고 들었습니다. 그때 여러 개의 체인점이 있었는데 결국 사람을 잘 관리해야지 그런 큰 조직 운영이 가능했을 텐데, 관리를 어떻게 하셨는지 궁금합니다.

이회장 사람을 뽑을 때 제 특징은 그 사람의 인상을 먼저 봐요. 공부는 필요 없고, 공부는 얼마나 잘했든 대학을 나왔든 뭐 필요 없고 그 사람의 인상을 보고 이 사람이 friendly하냐, friendly하지 않느냐 그것이 제일 중요해요. 거지도 인상 좋은 거지가 밥을 더 많이 얻어먹는다고 딱 인상을 보면 이 사람이 참 곧고 웃음이 있고… 그런 사람들 보고 교육을 시켜요. 이렇게 이렇게 해줬으면 좋겠다.

그리고 또 요리사를 구할 때는 "네가 제일 잘하는 음식이 뭐냐?" 그걸 먼저 물어봐요. 자신 있는. 그러면 그 사람이 잘하는 음식, 그 사람이 할 수 있는 음식을 메뉴에다가 새로 넣어줘요. 그래서 거기에서부터 조금씩 진행해나

가고, 그리고 또 한 가지 중요한 것은 식당이 잘 안되면 값만 올리면 잘되는 줄 알아요, 사람들이. 그런데 절대 그렇지 않아요. 식당이 잘 안되면 안될수록 값을 내리고 친절하게 해줘야 해요. 값만 올리고 인테리어만 더 꾸민다고 식당이 갑자기 프리미엄급이 돼서 잘되는 게 아니에요. 그러니까 서비스를 잘 해주고 친절해야 하고 또 일하는 사람이 잘못을 했다고 해서 쳐내면 안 돼요. 그 사람이 잘못한 점을 자기가 알면 고쳐줘야 합니다. 그것이 주인이 할 일이에요. Leading, 어떻게 인도를 해주느냐, 그 사람을 잘되게끔 만들어 주는 것. 그래서 저는 몇 백 명을 데리고 있었지만 한 사람도 쳐낸 적이 없었어요.

그리고 또 그 사람들이 연세가 많아서, 한 20년 넘게 운영하다 보니까 노인들도 생기더라고요. 그런데 그 노인들도 쓸모가 많아요, 지식이 많고 그래서 그 노인들이 그만둘 때도 절대 그만두지 않게끔 끝까지 나와서 도장만 찍고 나가면 와서 음식 먹을 수 있게 하고, 음식 그거 뭐 몇 푼 안 되는 거라고요, 친구들하고 얘기하고 서로 나누고, 죽을 때 편안하게 죽고… 또 그 사람들이 와서 커피도 마시고, 케이크도 먹고, 음식도 먹다가 친구 어느 분이 무슨 볼 일 있어서 나가면 내 담당을 5분이고 10분이고 맡아달라고 하면 그 사람이 맡아줘요.

제가 budget(예산) 만들 때, 1년 들어가는 월급이나 이런 걸 만들 때 그 예산이 만 불 있으면 만 불을 다 써요. 그 이상 쓰지도 않고 그 이하도 쓰지도 않고. 월급은 그 사람들이 아파도 줘요. 병 나면 병문안도 가주고 케이크도 갖다 주고, 그래서 저한테는 편했었어요. 예산을 올렸다 내렸다가 하는 것도 없고 평온하게 가기 때문에, 그런 정신을 가지고 일했기 때문에 저한테도 편했어요. 제가 안 나와도 잘되고 나와도 잘되고 그러니까요.

독자　사람을 한번 쓰면 끝까지 믿고, 해고도 안 하셨군요. 그에 비해 한국은 어떻다고 생각하십니까?

이회장 그 사람을 끝까지 인도해주고요. 그런데 보면 한국에는 작년에 있던 사람이 별안간 없어지는 수가 많더라고요. (독자들 웃음) 그러면 안 돼요. 그 사람들이 무언가 모자라면 잘하게끔 가르치고 인도를 해줘야 한다고요. 사람을 자꾸만 바꾸면 단골손님들도 불안해해요. 이 사람들이 어디 갔나 하고 찾고요.

독자 직원들이 잘못을 했을 때 어떤 스타일로 지적을 하셨는지요?

이회장 잘못한 것을 알게 되면 그 사람한테 우선 제대로 알려줘야지요. 내 생각에는 당신이 이러이러한 잘못을 했는데 당신 생각은 어떤가하고 스스로 깨닫게 해줘야지요.

그리고 그런 일도 몇 번 있었는데, 사람들이 좀 천한 일은 안 하려고 한다고, 그때는 제가 직접 웃통 벗고 나서서 천한 일을 해줘요. 제가 그만큼 월급도 주고 인도도 해주고, 높은 직위를 가지고 있으면서도 그 사람 보는 데서 그런 것을 해주면, 솔선수범으로 먼저 제가 두 팔 걷고 시범을 보이고 모범을 보이면, 그러면 그 사람들도 다 보고 바로 느끼더라고요. 말이나 그런 것이 아니고 직접 action(행동)으로 보여주는 게 중요하죠. action(행동)으로, 나 잘났다고 말로만 그러면 그 사람을 무시하는 것이기 때문에 안 되지요.

독자 직원들에게 지적을 하실 때 그 사람들이 스스로 깨닫도록 가르치신다고 하셨는데요, 모든 사람이 다 얘기하시는 것들을 잘 받아들이는 편이었습니까?

이회장 그것을 못 깨닫는 사람들이 사실 있기는 있어요. 그렇다고 해서 그 사람들을 저는 쳐내지는 않아요. 대신 그 사람이 원하는 것을 인도해주지요. 직장이 안 맞으면 그 사람이 여기에서 월급 받는 동안에 다른 직장, 자기한테 맞는 직장을 그 자신이 구해서 가도록 해주지요. 그 사람을 그대로 끝내면 그 사람을 망치는 거예요. 그 사람 식구들까지 망친다고. 또 그 사람 장래를 망치는 것이기 때문에, 저는 그런 일은 한 번도 해본 적이 없어요. 그래서 있는 동안에는 열심히 하고, 네 하는 대로 하고, 그다음부터는 네가 네 스스로 직장을 구해서 네 마음 맞는 대로 가라. 그것이 한 달이 걸릴 수도 있고, 두 달이 걸릴 수도 있고, 석 달이 걸릴 수도 있어요. 석 달 가게 되면 자기가 깨달아서 스스로 계속 있겠다는 사람도 있고요.

독자 그 레스토랑 체인이 덴마크 회사에 넘어갔을 때 왜 계속 경영을 맡지 않으시고 그만두셨나요? 계속 계셨어도 좋으셨을 것 같은데요.

이회장 제가 그 레스토랑을 처음에는 식당 하나로 시작했다가 계속 늘려서 15개까지 하고 그만뒀어요. 그만둔 것이 제가 그만두고 싶어서 그만둔 것은 아니었어요. 스칸디나비아에서 유명한 빵공장에서, 멜로우슨이라고 아직도 이름이 남아 있는데, 그 공장에 제가 외국 사람으로서는 175년 만에 처음 들어간 거였어요. 외국 사람을 경영자로 쓴다고 해서 첨엔 안 좋은 여론도 많이 있었는데 제가 들어간 것은 순전히 노력으로 들어갔기 때문에 점점 인정을 받았어요. 잘 안되는 회사를 제가 잘되게끔 만들었어요. 그런데 그것이 나중에 잘되다 보니까 주인이 돈 욕심이 많아서 그 회사를 덴마크에 팔아버렸어요. 덴마크 사람이 회사를 차지한 거죠. 덴마크 회사에서는 저보고 계속 근무하라고 했는데, 그때 저는 깨달았어요. 그동안 착각했다는 걸. 그때만 하더라도 아침에 거울 보면 동양 사람 얼굴인 건 알지만 그건 못 느끼고 살던 사람인데 갑자기 거울을 한 번 보니까 제가 외국 사람이라는 것을 느끼겠더라고요. 그때 제가 '아, 이게 내 회사가 아니로구나' 그런 걸 처음으로 느꼈어요. 그래서 제가 그러면 앞으로 내 회사를 만들어야겠다. 그래서 덴마크 회사는 안 가겠다고 얘기했죠.

라면 이전의 사업들

독자　라면 사업 전에도 개인적으로 여러 가지 사업을 전개하셨죠? 인삼 사업도 하셨다고 들었는데요.

이회장　네, 그것도 제가 해봤는데요. 그것은 어떻게 됐느냐 하면 제가 외국에서 잘산다는 말이 한국에도 70년도에 소문이 났어요. 그래서 박정희 대통령이 직접 나보고 한국에도 이바지 좀 하라, 혼자만 외국에서 잘 살지 말고… 한국에 도움이 필요하다고 해서 제가 물어봤어요. 제가 뭘 해줘야 한국에 도움이 되겠느냐 했더니, 나라에 인삼이 있다고, 그것을 세계화를 시키고 싶으니 인삼 좀 팔아달라고 하더라고요. 그래서 제가 "네, 그러겠습니다" 하고 인삼을 노르웨이에다가 팔기 시작했어요.

노르웨이에다가 소개한 뒤로 인삼이 약으로 굉장히 잘 팔렸어요. 그때는 노르웨이만 하더라도 인삼이 의약품이었어요. 그래서 약국에서만 처리하고, 병원 같은 데서만 하는데 가만히 제가 생각해보니까 나한테 들어오는 돈은 하나도 없더라고. 전부 정부에서 하기 때문에 남 좋은 일만 해주는 것이라서 저도 조금 벌고 싶은 마음이 있어서, 그때부터 제가 노력한 것이 뭐냐 하면 이것은 healthy food(건강식품)이지, 약이 아니라는 것을 제 친구 변호사를 데리고 선전하기 시작했어요.

그래서 나중에 그것이 약이 아닌 것으로 발표돼서 건강식품, 당근이나 감자 같은 그런 종류, 몸에 좋은 음식처럼 선전했어요. 인삼차를 한국에서 들여와서 노르웨이에 선전했죠. 제가 슈퍼마켓에 직접 다 돌리면서, 너희가 만약에 인삼차를 못 팔게 되면 제가 다시 가져가고 돈도 다시 주겠다고 했어요.

그랬는데, 선반에 쫙 놓고 1년 열두 달 있어도 그 사람들이 못 팔더라고요. 그만큼 인삼차에 대해서 노르웨이 국민들이 잘 몰랐어요. 1년인가, 1년 반인가 후에 인삼이 다시 다 저한테 되돌아왔어요. 그래서 우리 집에 인삼 냄새가 어떻게 진동을 하는지, 서랍이며 사무실, 침실, 응접실 다 인삼이에요. 더는 인삼차를 둘 자리도 없을 정도였어요. 그때, 우리 딸 초등학교 친구들을 불러다가 인삼차를 뜯기 시작했어요. 가위를 갖다 주고 kg당 얼마 줄 테니까 까놓으라고 애들을 시켰더니 인삼을 이런 통으로다가 수십 통을 만들어 놨어요.

그 인삼을 버리기는 아깝고, 그 봉투가 작아서 2g인가 3g밖에 안 들어가요. 몇 봉지가 2kg이 되겠어요? 하여튼 그렇게 버리기는 아까워서 이 인삼차 재료를 가지고 어떻게 할까 궁리하다가 '이걸로 인삼빵을 만들면 어떨까?' 빵을 만들어서 정력에 좋다고 하면 노르웨이 사람들이 좋아할 것 같아서 빵을 만들어 봤어요. 그랬더니 맛있더라고, 괜찮더라고. 그래서 빵가게에다가 인삼빵이라고, 정력에 좋은 한국 인삼빵이라고 하니까 엄청나게 팔렸어요. 아줌마들이 그런 거 좋아하나 봐요. (웃음) (독자들 웃음)

그때부터 인삼빵이 엄청나게 나가기 시작해서 그때 돈 벌었어요. 한국에서도 소식을 듣고 한국의 큰 빵 공장들이 직원들 수십 명을 데리고 인삼빵 만드는 것을 구경 왔었어요. 그래서 보여줬는데, 아직까지도 인삼빵은 한국에 없더라고요.

독자 저는 창업을 꿈꾸고 있는데 레스토랑이나 라면회사를 차리실 때 어떤 각오로 임하셨는지, 가족도 있으셨을 텐데 실패나 그런 것에 대한 두려움은 없으셨는지 궁금합니다.

이회장 제가 사업을 시작할 때는 여러 가지 아이디어가 있어서 시작을 했지요. 시작 중에 제가 이런 것도 시작해봤어요. 이걸 보시면 아시지만 (구두를 벗고 양말을 보임) (독자들 웃음) 발가락 양말이라고 해서 이게 굉장히 좋아요. 제가 발가락 무좀이 있었거든요. 무좀 때문에 발가락 양말을 한국에서 찾아서 '야, 이거 무좀 있는 사람들한테 좋겠다,' 그래서 노르웨이로 가져가서 몇 켤레씩 팔아봤어요. 그랬더니 처음에는 잘 팔렸어요. 그런데 제가 믿던 회사가 bankruptcy(파산)하는 바람에 제 것까지 다 망해버렸어요.

그런 실패도 있었죠. 그런데 실패라고 해서 실패다? 다 내 경험이니까 제가 배운 거지요. 인삼빵 할 때 노르웨이는 다른 나라하고 조금 달라서 레시피만 제가 가지고 있어요. 제가 만들던 레시피는 제가 지켜요. 그건 가르쳐주지 않지. 팔 때까지는 가르쳐주지 않아요. 다른 회사에서 하겠다면 제 레시피를 다 주고. 그 나라는 카피를 하는 법이 없어요. 카피를 하지 않아요. 동양, 특히 일본 사람들이 옛날에 카피를 잘했잖아요. 그런데 구라파 사람들은 남의 것을 가져다가 카피를 하지 않아요. 그렇기 때문에 괜찮아요.

그리고 처음 시작할 때 자기 능력 있는 데까지만 시작하지 절대 그 이상, 다른 사람한테 돈을 빌려서 시작하지 않아요. 자기가 가지고 있는 능력만큼으로만 시작해요. 제가 인삼빵을 시작할 때는 시멘트 돌리는 거 있잖아요, 통, 거기다가 빵가루, 인삼가루, 곡식 넣어서 제가 직접 손으로 돌려서 믹스했어요. 그리고 제가 직접 한 가게부터 판매를 시작했어요, 빵가게 하나. 이것을 풀어서 물을 얼마 넣고, 기름을 얼마 넣고 그러면 된다고 알려주면서, 처음에 만들때는 한 200개, 300개 그 정도로 만들었다가 2,000개, 3,000개 그렇게 올라갔지요. 그러니까 절대 크게 시작하지 않고 한 가게부터 시작해서 온 빵가게마다 전부 만들게끔 하세요. 입소문이란 게 있거든요. 이게 잘 팔린다 그러면 서로 만들려고 레시피 달라고 해요. 그때는 레시피를 주지 않고 믹싱한 가루만 포대로 보내줘요. 그렇게 시작해요. 자기 능력만큼만요.

라면 사업 이야기

독자　라면 이전에 여러 가지 사업에 도전하셔서 성공도 하시고 실패도 하셨는데, 최종적으로는 어떻게 라면이라는 아이템으로 승부를 보실 생각을 하셨나요?

이회장　건실한 제 회사를 가지려면 새로운 요리 아이템이 꼭 필요하겠다 싶었는데, 그 순간 1970년대 초 한국을 찾았을 때 맛본 라면이 생각났어요. 그때 노르웨이 · 스웨덴 · 덴마크 3개국이 6·25 전쟁을 계기로 서울 을지로에 국립중앙의료원을 공동설립했습니다. 이 의료원에는 스칸디나비아 전문식당이 있었어요. 이 식당의 한국인 요리사들에게 스칸디나비아 음식 조리법을 가르쳐달라는 요청이 왔어요. 한국을 찾아 그 스칸디나비아 클럽이라는 곳에서 석 달간 머물렀는데, 그때 처음 라면을 맛본 겁니다. 기가 막힌 그맛을 도저히 잊을 수 없었는데, 제 사업체를 차리려고 하자 그 생각이 떠오른 거죠.

독자　스칸디나비아 클럽 얘기를 좀 더 들려주십시오.

이회장　네. 스웨덴 정부에서 말하기를, 한국에서 스칸디나비아 요리를 가르쳐줄 사람을 찾고 있는 중인데, 사람들이 노르웨이에 가면 '이철호'라는 사람이 하나 있다, 그 사람은 호텔 학교 나왔고 요리 공부를 하는 사람이니까 그 사람을 찾아보라고 하더래요. 그래서 어느 날 저한테 연락이 왔어요, 한번 미팅 좀 하자고. 미팅을 갔더니 스칸디나비아 클럽에서 6개월 동안 공부를 좀 가르쳐달라고 하더라고요. 급여 조건은 좋더라고요. 그래서 가겠다고 했지요. 온 식구들을 다 데리고 갔죠. 그때 식구라고 해봤자 우리 아이들밖에 더 있어요?

그래서 70년도에 제가 아이들이랑 우리 집사람을 데리고 스칸디나비아 클럽에 와서 요리를 가르치게 됐어요. 스칸디나비아 음식은 이렇다, 처음부터 가르쳤는데 한국 사람들 머리가 엄청나게 좋더라고요. 노르웨이 같으면 몇 년을 가르쳐도 못하는 것을 석 달 만에 다 마치더라고요. 그래서 더 가르칠 것이 없었어요. 그다음부터 고민했지요. 제가 뭘 가르쳐야 되나… 아무리 생각해봐도 더 가르칠 게 없더라고요. 그래서 제가 스웨덴 담당자한테 얘기하기를 이 사람들 이제 다 할 줄 아는데 제가 더 있을 필요가 없으니까 이만 가겠다고 했더니, 그러면 3개월 동안 계약이 남아 있는데 그 월급을 다 가지고 가시라고, 그리고 거기다가 차를 하나 대주고 기사 아저씨까지 한 분 대주면서 한국 구경시켜 다 시켜주고… 아주 호강했죠. 그때 우리 어머니를 모시고 한국을 한 바퀴 다 돌았어요. 그래서 한국이 얼마나 아름다운 나라인지 발견해서 갔지요.

독자　회장님은 북유럽 국가에서 요리사로 출발해 노르웨이 최초로 라면을 유통시키면서 그야말로 국민적 명사 반열에 오르셨습니다. 당시에 노르웨이 사람들은 라면이라는 걸 전혀 모르고 있었나요?

이회장　네, 당시 노르웨이엔 라면이라는 게 아예 없었어요. 1989년에 처음 라면을 보여주니까, 이 사람들이 '때를 밀 때 사용하는 돌'이라고 생각하더라고요. 표면이 울퉁불퉁하니까 그렇게 보였나 봐요. 그 사람들은 한국 사람들과 달리 국물을 잘 안 먹습니다. 음식을 할 때 생기는 국물은 죄다 버리거든요. 그러니 '라면'이란 것을 이해할 수가 있겠습니까? '물만 붓고 끓이면 된다'고 아무리 설명해도 도무지 알아듣질 못하는 거예요.

처음엔 대형 유통 체인을 주로 찾아갔어요. 가서 라면을 보여주니까 "이런 걸 어떻게 먹느냐"면서 심지어 쓰레기통에다가 바로 집어던지더라고요. 하도 어이가 없어서 사장 얼굴을 빤히 쳐다봤죠. 그러고는 말없이 그 라면을 주워들고 나왔습니다. 그걸 집에 가지고 와서, 제가 다 끓여 먹었어요. (웃

음) (독자들 웃음)

독자　사실 제품 개발에 성공한다고 해도 판매하는 것이 어쩌면 더 어려울 수도 있는 일인데 홍보와 유통은 어떻게 하셨는지 궁금합니다.

이회장　지금 한국에도 대형마트가 유행이지만 그때도 규모가 지금처럼 크지는 않아도 큰 가게들이 있었죠. 저는 처음엔 큰 가게들만 상대로 생각했다가 쓴맛을 본 뒤로 전략을 수정했습니다. 이때부턴 반대로 작은 구멍가게들만 하나씩 찾아다녔어요. 라면 두 개를 놓고 가면서 "두 개를 다 팔면 하나 가격만 달라"고 했죠. 처음엔 반응이 별로였어요. 그런데 시간이 지나면서 조금씩 입소문이 나더니, 3년쯤 지나니까 주문이 막 쏟아지기 시작하는 겁니다. 감당할 수 없을 정도로 말이죠.

독자　그 비결이 무엇이었을까요? 회장님 말씀대로라면 노르웨이 사람들이 '쓰레기통에 집어던지던' 라면이었는데 말이죠!

이회장　저는 노르웨이 사람들의 입맛에 맞게 마늘을 빼고 매운맛을 줄였어요. 거기에 부드럽고 기름진 맛을 더해 그들에게 맞춰 보았지요. 그 후 저의 '미스터 리' 라면이 인기를 끄니까 유사한 다른 라면들이 잇달아 생겨났습니다. 하지만 선두는 항상 '미스터 리'였어요. 가격이 다른 라면보다 5배 가량이나 비싼데도 소비자들은 항상 '미스터 리'만을 찾았습니다. 그리고 제가 경험한 것이 한 가지가 있는데, 사업할 때 처음부터 큰 거를 바래서는 안 돼요. 제가 처음에 을지로 6가 뒷골목에서 먹어본 라면이 그렇게 맛있어서 몇 갑을 노르웨이에 가지고 갔었더랬죠. 서랍에다가 놓고 냄새만 맡곤 했는데, 공장이 덴마크로 넘어갈 때 라면 아이디어가 다시 생각났어요. 이것을 시작해야 되겠다, 내가 직접… 그래서 그때는 다른 회사 이름을 붙이는 것이 아니라 제 이름을 붙여 제 것을 만들겠다고 해서 집에 있는 사발에다가 라면을 끓여서 장식도 제가 하고 사진도 제가 찍어 붙인 뒤에 영업도 제가 다녔어요.

처음엔 큰 가게, 큰 슈퍼마켓만 찾아다녔는데 그 사람들이 너무 센 사람들이라 제가 가져간 물건을 믿지 않았다고 했죠. 그래서 가만히 다시 한번 생각해보니까 포기하기는 싫고 그래요. 그때는 라면이 너무 싸고 불량식품 이미지 때문에 그런 사람들한테 먹혀들어 가지 않는 것 같아서 그때부터는 제일 조그만 구멍가게 같은 데를 갔던 거예요. 그 사람들한테는 라면을 사라고 하지 않고 그냥 여기다가 2갑 놓고, 저기다 3갑 놓고… 그래서 "너희가 팔게 되면 나한테 반만 달라. 얼마를 팔든 반값만 달라" 그렇게 한 3년을 지냈어요. 제가 일주일에 한 번씩 다니면서 라면을 바꿔놓았죠. 새 라면으로 바꿔 진열해 놓고 먼지 있는 라면은 제가 털고, 제가 먹든지, 그렇게 했더니 그때부터 조그마한 가게에서 3갑 팔았다, 2갑 팔았다, 10갑 팔았다고 했는데 그것들이 모여서 10박스가 됐다, 20박스가 됐다. 40박스가 됐다… 자꾸만 늘어나서 나중에는 빈 컨테이너가 되더라고요. 몇천 박스가 돼요. 그래서 그때부터 제가 가지고 다닐 수가 없어서 도매하는 사람들한테 "이것 운반 좀 해 달라. 그러면 당신들한테 반을 주겠다" 그렇게 시작해서 하니까 되더라고요.

그러니까 모든 것을 열심히 하면 안 되는 일이 없어요. 그게 점점 커지니까 옛날에 제가 찾아다녔던 큰 회사들한테 전화가 오기 시작해요, 자기한테도 좀 달라고. 그러니까 자기가 먼저 노력을 보여주고 시작을 해놓으면 큰 회사들이 제 발로 찾아와요. 첨부터 큰 회사만 눈독 들여서 찾아다닐 필요가 없습니다.

독자　제가 알기로는 노르웨이에서 라면 시장의 80~90% 이상을 석권하셔서 경쟁자가 거의 없었던 것으로 아는데… 그래도 경쟁자들은 있었겠지요? 경쟁자나 라이벌에 대한 대처는 어떻게 하셨습니까?

이회장 그런 일이 좀 있긴 했지요, 없는 게 아니라. 그런데 그것은 잘 모르겠어요. 남이 어떻게 하든지 전 신경 안 쓰고 제 일만 했으니까요. (독자들 웃음)

신조와 철학

독자 돈을 많이 버신 후로 투자도 해보셨을 것 같은데, 그 이야기도 들려주시면 감사하겠습니다.

이회장 저는 투자는 하지 않았습니다. 저는 돈 버는 욕심은 없어요. 돈 버는 욕심은 없고 그냥 이 일을 하면 일자리를 많이 만들어 준다. 그런 걸 도와주고 싶은 마음이에요. 스칸디나비아 쪽 노르웨이 같은 데서는 돈을 많이 벌면 벌수록 세금이 더 많아요. 세금을 굉장히 많이 내요. 그래서 자기한테 직접 들어오는 돈은 월급쟁이 수준밖에 안 될 때도 있어요. 누구에게나 먹고 살 만한 돈은 정부에서 다 해주기 때문에… 아프면 병원 해주지, 배우고 싶으면 대학까지 다 공짜지, 아이들 유치원도 공짜지, 모든 것을 나라에서 다 해주기 때문에 돈 욕심 가진 사람들은 노르웨이에서 못 살아요.

독자 한국하고는 분위기가 딴판이네요?

이회장 네, 분위기가 아주 달라요. 그렇기 때문에 투자해서 돈을 더 번다는 그런 생각이 많지 않고, 또 세금을 많이 내는 사람들은 신문에 나와요. 세금을 얼마나 냈다는 거, 이름만 딱 대면 세금 얼마 내고, 어디 살고 다 나오는데, 누구나 다 볼 수 있어요.

독자 회장님은 '잘사는 나라' 노르웨이에서도 손꼽히는 부자라고 알고 있습니다만 뵙기에는 수수한 옷차림이십니다. 한국을 찾을 때마다 선생님께서 항상 고급 호텔이 아닌 하룻밤 11만원짜리 레지던스에 투숙하신다고 귀띔해 주시던데요.

이회장 글쎄요. 저는 특별히 검소하려고 노력하거나 남에게 보이려고 하는 것은 없고요. 항상 저의 뼈아팠던 가난한 과거를 잊지 않으려다 보니 그런 생활태도가 몸에 배인 듯합니다. 그땐 항상 먹는 게 부실했지요. 누가 샌드위치라도 좀 나눠주면 그날이 제 생일이나 다름없었어요. 제대로 된 음식을 차려 먹을 형편도 아니었고, 그럴 시간도 없었습니다. 그래서 궁리 끝에 유효기간이 지난 빵도 사먹었다고 했잖아요?

독자 선생님께서 지금까지 살아오면서 마음속 깊은 곳에 간직하고 계신 어떤 좌우명이나 감명 깊게 들었던 문장 같은 게 있으신지, 글이나 책에서 본 내용이라든가, 미디어를 통해서 접한 내용 중에서 선생님 마음을 울렸거나 인생의 지표가 됐던 그런 문장이 있다면 알려주십시오.

이회장 어려운 질문이네요. 제 마음에 간직하고 있는 것은, 끝까지 포기하지 말고 가던 길을 그냥 계속 가는 게 제일이고, 또 무엇을 시작하더라도 첨부터 큰 걸 바라지는 말고 조그만 것을 바라보고서 거기에서 성장시켜 가려는 자세, 그게 제일 중요한 마음이라고 생각해요.

또, 우리 아버지가 저한테 얘기하신 것 중에 "원수는 외나무다리에서 만난다"는 말씀을 자주 하셨는데 그 말도 새겼어요. 똑같이 언제 그 사람의 도움이 자기한테 필요할 때가 있어요. 악연이라고 생각하는 사람도 언제든지 내 친구가 될 수 있고요. 나중에 그 사람을 어디에서 또 만날 기회가 반드시 있다고요. 그러니까 절대 적으로 만들면 안 돼요.

독자 돈에 대한 선생님의 철학이나 생각이 있으시다면 듣고 싶습니다.

이회장 제 철학은 그래요. 돈이 만약 1,000불이 있다고 해서 사람들한테

100불씩 나누어 줘봤자 10명밖에 못 살려요. 그 10명에게 그런 식으로 돈을 줘버리는 사람들은 사실은 바보라고 생각해요.

그 대신 자기의 노하우로 일자리를 만들어주고 직원들을 잘 살게끔 만들어주면 그 사람들이 그다음에 더 커요. 잘사는 사람들을 미워하지 말고 그 사람들을 더 위해줘서 그 사람들이 더 열심히 공장을 세워준다든지 그런 뒷받침을 해주는, 그 사람들이 온 국민들을 먹여 살리는 거예요.

돈을 나눠줄 생각을 하지 마세요. 그러면 자기도 안 되고 받는 사람도 안 돼요. 그리고 또 재벌들한테 제가 얘기하고 싶은 것은 감옥에 들어가지 않는 일만 해주면 돼요. 한국에 와서 보니까 재벌들이 감옥에 많이 들어가더라고. 또 외국에다 많은 돈을 감추는 재벌들이 있더라고요. 그런데 제가 스위스에서 공부할 때만 해도 여러 번 들었는데, 한국 재벌들이 스위스 은행에 돈을 둔 사람들이 많대요. 그런데 그런 사람들은 죽으면 그 돈이 스위스 돈이 된다고요. 그 돈은 절대 한국에 못 돌아와요, 그 사람은 죽었기 때문에. 그러니까 돈을 그 나라에서 벌었으면 그 나라 국민들을 위해서 쓰라고요. 그런 정신을 가지고 살아야 해요.

독자 선생님께서는 스스로 돈이라는 것을 많이 벌었다고 느끼셨을 때 자신의 삶에서 어떤 변화를 느끼셨는지요?

이회장 한국에 나오니까 돈을 굉장히 중요한 것으로 생각하더라고요. 주로 한국 사람들이요. 그런데 돈이 그렇게 중요한 것은 아니에요. 그만큼 있어 가지고 자기 배만, 배도 얼마 크지도 않다고, 자기 배만 채울 수 있으면 돼요. 시간만 가지고 노력하면 돈에는 가치가 없는 거라고. 돈에 가치를 삼아서는 안 돼요. 누구는 저보고 자기가 넉넉하니까 그런 말을 하겠지 이렇게 생각하지만 우리 집 아이들도 다 그래요. 돈에 아무 관심 없어요. 자기 먹고 살만큼, 그리고 자기 security(안전)만 보장되면 그걸로 만족해야 돼요.

돈에 욕심을 차리고, 돈에 너무 눈독을 들이면 잘될 것도 안된다고요. 무슨 장사를 시작할 때 자기가 할 수 있는 것은 노력하면 자기가 먹고살 만큼은 생겨요. 그렇게 저는 봐요.

독자 돈에 대한 말씀을 듣다 보니까, "돈은 내 사전에 절대 빌려주지 않는 다" 이런 말씀도 하셨더라고요. 그 부분에 대한 부연설명도 듣고 싶습니다.

이회장 친구일수록 돈은 빌려주면 안 돼요. 친한 사이일수록 더 그래요. 돈에 대해 조심해야 할 것은, 친구가 그렇게 불쌍하면 그냥 돈을 주세요. 주고받을 생각을 하지 말고 그냥 주라고. 친구가 다시 돌려준다고 하더라도 받지 말라고. 일단 돈을 빌려줬다가 돈 갚으라고 얘기하게 되면 친구도 잃게 되거든요. 친구는 친구대로, 돈은 돈대로 잃게 되는 거라고.

또 제 사전에는 "돈을 절대 빌리지 않는다"는 원칙도 있었어요. 저는 돈 빌려 본 적이 없어요. 단 한 번도요. 진짜 한 번도 안 빌려봤어요.

독자들 에이~ 설마요. (독자들 웃음)

이회장 정말이에요. 전 정말 단 한 번도 안 빌려봤어요. 저는 없으면 없는 대로 살고, 먹을 게 없으면 굶고 그랬어요, 저는 며칠을 굶을 수도 있어요. 지금은 그래도 밥 두 끼, 세 끼씩 먹지만 옛날에는 일주일 내내 못 먹어본 적도 있어요.

독자 아버지께서 비즈니스로 성공을 하셨으면 자녀들에게도 "독립하라" 이런 말을 대개 하시잖아요. "남의 메아리가 되지 말고 너의 길을 가라" 뭐 이런 종류의 말을 하셨을 것 같은데 세 딸을 전부 다 월급쟁이로 키우셨습니다. 그건 얼핏 이해가 안 가는 대목인데요?

이회장 저는 그래요. 처음 시작할 때는 월급쟁이로 시작하는 게 좋아요. 월급쟁이로 시작하면서 거기에 충성을 다하고 그 나머지 시간, 18시간 잠만 자지 말고 나머지 시간을 자기 자신을 어떻게 더 성장시켜야 자유롭게 내 회사를 만들 수 있는가 그것을 생각하라고 해요.

우리 첫째 딸, 둘째 딸, 셋째 딸 보고도 그래요. 다른 사람이 너에게 월급을 줄 때는 네 인물을 보고 주는 게 아니라 네 지식을 보고, 네 노하우를 보고 주는 거니까 그 노하우를 네가 제대로 사용해줘야 한다고 자꾸만 제가 얘기해줘요.

그래서 첫째 딸하고 셋째 딸은 성공을 했어요. 그 아이들은 다 자기 회사를 가지고 자기 일을 가지고 일하지만 첫째 딸(의사)은 워낙 월급이 좋으니까 그 아이는 독립하기에는 좀 부담이 가는 것 같아요. 아직 독립 못 시켰지만 계속 인도는 해주지요. 네 자신이 회사를 만들어서 네 병원을 짓든지, 네 자신의 일을 하라고요. 그런데 그럴 힘이 아직 없어요.

근황

독자 요즘엔 회장님께서 라면 사업에 얼마나 관여하고 계시고, 그밖에 어떤 일을 하고 계시는지요?

이회장 지금은 라면 사업에서는 한 걸음 물러나 자문 역할만 해주고 있어요. 저는 민간 외교관이 돼 한국과 노르웨이 사이의 관계를 어떻게 하면 증진할 수 있을지 모색하고 있습니다. 한국에서 안 좋은 일만 겪다가 노르웨이에 갈 때는 어린 마음에 '다시는 오지 않을 거'라고 결심을 했습니다. 그런데 나이가 들다보니 나쁜 기억은 다 잊게 되고 고국이 너무 그리워지더군요. 앞으로 제가 사랑하는 한국과 노르웨이의 관계가 더욱 가까워지는 데 기여하고 싶어요.

저는 한국에서 태어났기 때문에 기본적으로는 한국 사람입니다. 노르웨이에 있으면서도 저는 한국 사람이에요. 한국에 대해서 좋은 선전도 하고 싶고 한국을 널리 알리고 싶은 마음이 있어요. 그런데 한국에 나오면 저는 또 노르웨이 사람입니다. 그 나라에서 제 목숨을 살려줬기 때문에, 저는 두 국적을 아니, 두 나라의 아들이라고 볼 수 있지요. 그래서 노르웨이를 많이 알리고 또 한국을 많이 알리는 역할을 하고 있어요. 그게 제가 마지막으로 하고 싶은 일인 것 같아요. 자기 나라를 비판하는 사람들은 불쌍한 사람들이에요. 저는 노르웨이를 참 존경합니다.

독자　한국전쟁 때 미군 부대에서 '하우스보이'로 일하던 소년 시절을 보내셨고, 최근에도 한국전쟁 관련된 자선 사업을 하시는 걸 보면 은근히 군 부대와 인연이 많으신 것 같습니다.

이회장　한꺼번에 여러 가지 일을 하는 것은 저의 오랜 습관인데요, 한국에 온 김에 용산 전쟁기념관 안에 한국전 당시 유엔사무총장이었던 트뤼그베 할브단 리를 기리는 공간을 마련했습니다. 그분이 한국을 살렸다는 사실을 한국 사람들이 잘 몰라요. 소련이 불참할 것을 알고 유엔안전보장이사회를 열어 유엔군 참전을 성사시켰거든요. 기억해야 할 사람은 알아야 하잖아요. 저는 한국전쟁 때 노르웨이 군의관들과 간호사들이 얼마나 한국을 위해 노력했는지를 잘 알고 있고, 그것을 많은 사람에게 알리고 싶습니다. 노르웨이군의 동두천 야전병원에서 한국인들이 많이 치료받았어요. 저도 그 가운데 한 명이고요. 전쟁 뒤에도 남아서 스위스·스웨덴과 함께 세운 서울의 국립의료원, 마포 아동병원, 대전 결핵병원 등에서 진료를 하고 한국인 의사들까지 양성했어요. 일제는 한국인 의사를 기르지 않았잖아요?

독자　요즘 한국에 오실 때는 어떤 생각이세요?

이회장　제가 얼마나 살겠어요. 한 200년? (특유의 장난끼 가득한 웃음)(독자들 웃음) 저는 욕심 없어요. 제가 없어도 한국·노르웨이 관계가 원만하기를 바랄 뿐이죠. 제 자신을 키워준 한국과 제 목숨을 구해준 노르웨이에 보답하는 데 남은 여생을 바칠 생각입니다.

독자   2011년에 일어나 세계를 경악시켰던 노르웨이 테러 참사(각주 *참조)에 대한 선생님의 생각도 들려주세요.

이회장 노르웨이에서 이처럼 비극적인 테러가 날 것이라고는 아무도 상상 못 했어요. 노르웨이 국민들 모두 눈물을 흘렸습니다. 그러나 평화를 사랑하는 노르웨이인들이 이 때문에 위축되지 않고 더 열린 공동체를 만들어나갈 것이라고 믿습니다.

독자   테러범이 다문화주의를 비판한 것에 대해서 어떻게 생각하세요?

이회장 저는 노르웨이에 사는 동안 소수민족이라는 이유로 차별을 받은 기억이 전혀 없습니다. 노르웨이는 능력만 있다면 어느 나라 출신이고 어떤 종교를 가졌는지는 중요하지 않은 곳입니다. 또 돈을 많이 벌수록 세금도 많이 내야 하기 때문에 외국인 출신이 사업에 성공한다고 질투하는 경우도 없습니다. 어디든 비뚤어진 감정을 가진 사람이 있을 순 있지만 노르웨이 사회의 전반적인 감정은 아닙니다. 이번 테러범처럼 비뚤어진 사람은 극소수에 불과하기 때문에 이 사태는 곧 진정될 것이고, 개방적인 노르웨이의 분위기가 경색되지는 않을 겁니다.

독자   최근 한국도 다문화사회로 가고 있는데, 이것에 대해서는 한국인들이 어떻게 대처하는 게 좋을까요?

이회장 우리나라에서 필요하기 때문에 외국인을 받아들이는 것이 아닙니까. 고국을 떠나온 사람들을 따뜻하게 대해주고, 속으론 감사한 마음을 품는 것이 옳습니다.

마지막 메시지

독자　이회장님께서는 지난 삶을 살아오시면서 자신이 의지가 약하다, 이 것을 오늘 꼭 해야 하는데 귀찮다… 이런 기분이 들 때 어떻게 이겨내셨는 지 궁금합니다.

이회장　저는 일을 그렇게 미루지 않았어요. 오늘 할 일이든 내일 할 일이든 잠을 조금 못 자더라도 그날 그 일을 해결하기 때문에, 절대로 오늘 할 일을 내일로 미루지 않았어요.

제가 외국에 살 때 외국 사람들은 그 나라 말을 자기 나라 말이니까 잘 알아 듣고 공부를 2시간 할 것을 저는 시간을 늘려서 6시간을 하면서 그 사람들 2 시간 하는 것만큼 쫓아가겠다는 그런 정신을 가지고 임했기 때문에 시간이 항상 부족했어요.

독자　이회장님 요즘도 많이 바쁘신데 시간을 어떻게 활용하시는지, 시간 활용에 관한 조언을 좀 부탁드립니다.

이회장　그건 제가 자신있게 대답할 수 있어요. 시간을 어떻게 활용하느냐? 요는, 시간을 남겨서는 안 돼요. 제가 옛날에 구두 닦던 시절부터 시작하면 구두를 닦더라도 세상에서 제일 열심히 닦으려고 노력했어요. 또, 뭐를 하 든지 충성껏 자기 이상의, 냄비를 닦더라도 냄비가 반들반들하게 만들 수 있거든요. 그렇게까지 할 그 시간이 있으면 그렇게 만들어야 한다고요. 시 간이 있으면 시간을 버리지 말고 그 시간을 이용해서 남김없이 노력을 다 쏟아 부어라. 시간을 남기면 그건 피 같은 시간을 휴지통에 버리는 거에요. 시간을 평생 친구로 삼으세요.

독자　오늘날 한국의 20~30대들은 과다한 경쟁 하에서 자신의 꿈을 펼치 지 못하는 사람들이 많은데, 그들이 어떻게 하면 성공할 수 있겠습니까?

이회장　좋은 머리를 갖고도 롱런 못 하는 사람들의 문제점은 일 중독자 수

준으로 자학하듯 일한다는 겁니다. 피 토하듯 일하는 것보다 싱싱한 머리로 능률적으로 일하는 것이 롱런하는 비결이에요. 한꺼번에 너무 몰아서 일하려고 하지 말고, 대신 지구력 있게 꾸준히 하는 것이 더 중요합니다.

독자 이철호 회장님은 나중에 어떤 사람으로 기억되고 싶은지, 어떨 때 행복을 느끼시는지 알고 싶습니다.

이회장 좋은 아버지! 좋은 아버지로 기억되고 싶어요. (웃음) (독자들 우레와 같은 박수) 제가 감기 들었을 때 우리 딸들한테서 매일 전화가 와요. 감기 어떠냐고. 그때 행복을 느낍니다. (웃음)

독자 회장님의 지난 인생을 돌아보셨을 때 가장 후회되는 부분이 있다면 어떤 부분이고, 저희가 회장님의 나이가 됐을 때 어떻게 살아야 후회 안 하는 인생을 살 수 있을지 말씀해 주시기 바랍니다.

이회장 저는 후회라는 것을 몰라요. 제가 하고 싶은 것은 다 한 것 같아요. 후회를 가져서는 아무것도 도움이 안 되는 것 같아요. 그러니까 제가 살아온 것에 대해서 저는 제가 할 만큼 능력 있는 데까지 다 한 것 같아요. 앞으로도 계속할 게 많이 남아 있고요.

독자 감사합니다. 마지막으로 이 책으로 회장님과 만나는 분들께 전하고 싶으신 말이 있다면요?

이회장 아무리 힘들어도 절대로, 끝까지 포기하지 말라고 하고 싶습니다. 기본적인 실력을 갖추고 자기 일에 정성과 최선을 다한다면, 스스로 광고하지 않아도 누군가 항상 눈여겨보는 사람이 생깁니다. 실력 있고 성실한 사람과는 누구나 함께 일하고 싶어 하기 때문이죠. 외롭고 힘들더라도 절대로 포기하지 마십시오. 저는 우리 한국 독자들에게 이 말을 꼭 전하고 싶습니다.

미스터 리
경연 대회
인증샷
남기기

노르웨이편

2010년 1월, 노르웨이에서 열렸던 '미스터 리' 컵라면
사진 경연 대회에 수많은 사람이 열띤 참가를 했다.
우승자는 '미스터 리' 컵라면 60개를 받았고, 관련 사진자료는
www.mrlee.no와 Facebook의 미스터 리 팬 페이지
(http://www.facebook.com/detsaminmor)에서 확인할 수 있다.

옮긴이 손화수

한국외대 영어과를 졸업하고, 98년부터 노르웨이에 거주하며 문학석사 과정을 밟았다. 크빈헤라드 종합고등학교와 국립예술학교에서 강사를 지냈고, 현재는 노르웨이문학협회 소속 전문 번역가로 활동하고 있다.

노르웨이 라면왕 미스터 리 이야기

초판 1쇄 펴낸 날 2023년 8월 31일

지 은 이 이철호, 이리나 리
옮 긴 이 손화수
펴 낸 이 장영재
펴 낸 곳 (주)미르북컴퍼니
자 회 사 더모던
전   화 02)3141-4421
팩   스 0505-333-4428
등   록 2012년 3월 16일(제313-2012-81호)
주   소 서울시 마포구 성미산로32길 12, 2층 (우 03983)
E-mail sanhonjinju@naver.com
카   페 cafe.naver.com/mirbookcompany
인스타그램 www.instagram.com/mirbooks